屯門公園
TUEN MUN PARK

張篤（棟你個篤）

目錄

如果我當初沒有不聞不問，

結局是否會不一樣？

可惜，現在經已後悔莫及。

第一章

置業

屯門公園

第一章 置業

　　從小在柴灣長大的我，從來沒有想過，自己會從香港的極東搬到去極西的屯門區居住。

　　「施旨山，搬去咁遠，第日落吧飲嘢係唔係唔使預你？」同事Patrick揶揄我。

　　「哼！呢個世界有的士喫嘛，驚咩喎？我哋呢啲賣基金嘅，一向都周圍見客喫啦，會怕遠嘅咩？」我邊說邊執拾文件，準備從尖沙咀的辦公室出發往粉嶺跟客人見面，然後不忘補上一句：「重有呀，叫咗你幾多次，唔好叫我中文名，叫返我Teddy。」我著實不太喜歡自己的中文名字，但Patrick卻總愛這樣喚我，還要喚中文全名。

　　「雖然係咁講，但係你都唔使搬到屯門咁遠喫？」

　　我停下了本來忙著的雙手，認真地說：「冇計喎，女朋友催我買樓，咁我老豆一支公，我冇可能由佢一個住喺柴灣公屋，間屋重要預埋將來我生細路，所以起碼都要有三房，買市區樓我真係買唔起，唯有買到去屯門啦！嚟緊都會發力簽多啲單，希望可以快啲換返出市區住。」

　　Patrick拍拍我的肩膀道：「哈！加油啦，施旨山！」

　　我瞪了他一眼，把一疊印著「區域副總裁——施旨山（Ｔｅｄｄｙ）」的卡片塞進名牌公事包，然後便離開公司。

　　別看我的職位是「區域副總裁」，其實只是虛銜，公司內有幾十個區域副總裁，另外高級一點的區域總裁也有二十個左右，Ｐａｔｒｉｃｋ就是其中一個。不過這些主要都是為了外出見客時讓客人感到備受尊重，跟實際薪金和職級無關。

　　所以，即使我是區域副總裁，也不見得我的收入有多好，現在在屯門置了物業，來日真的要更加努力攢錢供樓了。

　　在粉嶺跟客人見面後，我又走訪了荃灣、北角、九龍灣和將軍澳這幾區去跟不同的客人見面，最後終於在晚上八時多起程返回位於屯門市中心的新居。

　　乘巴士回家時，我還特意致電給父親，看看他吃了晚飯沒有。他接電話時，我聽到背後人聲嘈雜，還有奇怪的音樂聲，父親像是正忙著甚麼般說他會自己吃飯，然後就把電話掛了。

置業

花了個多小時車程，我終於回到家，這個家雖然遠離市區，但始終是自置物業，回到家特別有滿足感。

「叮」，甫進家門，就收到女友阿晴的訊息：「收咗工未呀！」

她還未搬來新居，我們計劃待下年底結婚後，她才搬過來住。

「今日早咗啲，而家啱啱返到屋企。」我回覆。

「咁你快啲同世伯出去食飯啦！」

「佢都唔喺屋企，同埋我打咗畀佢，佢叫我食自己。」我無奈地道。

「咁奇怪？最近成日聽你提起佢唔喺屋企，以前住柴灣時都唔係咁。」

「唔知啦！話時話，你好似關心我老豆多過我咁。」我故作不滿地道。

「唔通你唔想我愛屋及烏？」她反問我，還加上了一個歪著嘴巴微笑的表情符號。

不要跟女人辯論，這是我的生存法則，是以我回覆了一個心形符號，還加上一句：「我煮個麵食先，一陣沖埋涼打畀你。」

我放下電話，走進廚房開始煮麵，想起來，阿晴的確說得對，父親在搬到屯門後就經常不在家。不過，雖然他已七十多歲，身體仍十分壯健，也許想多出去走走，了解新居附近的環境，認識新朋友也說不定，也有可能是乘車回柴灣見見舊街坊。反正，我的工作已夠忙碌了，現在不僅要供樓，下年底的婚禮也有很多錢要花，我真應該把心思放在工作上。

吃完麵且洗過澡後，已超過十一時了，我才剛坐在梳化上想看一會電視，便聽到我家鐵閘被拉開的聲音。

「嗨，衰仔，返咗嚟啦！」

第一章　置 業

　　我斜睨了他一眼，覺得他今天看來有點不同，不但容光煥發，而且神情異常歡愉。

　　「哇，你個樣咁開心嘅？」我雖然這樣問他，目光卻是重新回到了電視熒幕上。

　　「哼！老子我搬到邊都識自己尋開心喫啦！」他一屁股坐在我旁邊，大力把襪子脫下來扔在地上，我瞄了瞄他，又瞄了瞄地板，禁不住道：「好心你唔使返工就做下家務，個地下睇落好多塵！」

　　他聽罷立即站起來敷衍我說：「得啦！得啦！」然後吹著口哨返回房間。

　　說起來，以前住在柴灣時，他每天都會做好家務，不知現在是不是單位面積大了，所以他做家務時會吃力，或許待我再攢多些錢時，要聘請家務助理來幫忙一下了。

　　我沒有再多想，實在有點睏了，便回到床上，致電給阿晴聊了一會後，就沉沉睡去了。

第二章

父親

屯門
公園
門
園

父 親

「喂，施旨山，你使唔使咁博呀？」Patrick又喚我全名。

我翻了個白眼，決不浪費時間反抗，而是問：「咩博呀？」

他哄過來小聲道：「聽講Fox走咗之後，你自願跟晒佢留低嗰幾個麻煩客喎！你知唔知嗰幾個客係變態、痴線㗎？其中嗰個『老強人』芭芭拉重係又老又醜嘅肥婆，用簽單做借口係咁抽Fox水，Fox有一半都係因為怕咗呢班珍禽異獸，所以先轉公司。」

「噴，」我笑著瞪了他一眼，雙手卻沒有停止過敲打著鍵盤，冷笑著道：「我點會唔知呢幾個客麻煩？但係佢哋唔只麻煩，重個個都好多閒錢，湊得佢哋好真係發達喇。」

「唉，講到尾你都係因為做咗樓奴同插隻腳入婚姻墳墓，先要博成咁啫。」他頓了一頓又道：「你知嘛？我成日都同啲客講，錢係搵唔晒嘅。」

「我知，你次次累到啲客輸錢時，都會咁同佢哋講㗎啦！」我忍不住嘲諷他。

　「哇！你唔信就算，你成日去健身操肌，芭芭拉見到你個ｂｏｄｙ一定流晒口水。」他說完就拍拍我的肩膀，然後回到他自己的座位。

　說起來，我以前的確經常去做健身，身形看來非常魁梧，不過近來已經少了上健身室了，可以想像，我慢慢就會從肌肉猛男演變成中年胖子。

　想到這裡，我不禁嘆了一口氣，然後急急收拾心情，外出去會見客人。

　這天我還跟一位客人一起吃晚飯，所以回到屯門時已是十時多了。

　「你呀，因住捱壞身體呀。」阿晴在電話中跟我說。

　「知道啦，Ｍａｄａｍ。」我在所住大廈的樓下邊踱步邊跟她聊電話。

　「世伯食咗飯未呀？你使唔使買嘢佢食？」她問。

　「食咗啩，搬咗入屯門兩個星期，都係同佢食過兩餐飯咋，佢好似重忙過我咁。」我無奈地答。

第二章　父親

「咁奇怪？」

「係呀，佢重……」我正想跟阿晴說父親連家務都疏忽掉時，卻見父親從遠處走來，他的步伐非常不正常，至少我從來沒有見過他以如此輕快、跳脫的腳步來走路。

「阿晴，我唔講住，我見到老豆呀，我哋返上樓先，臨瞓再打畀你啦。」我急忙對阿晴說。

掛線後我大叫：「老豆！」

「嗨！」他異常興奮地揮了揮手，然後小跑過來。

「你食咗飯未？」我問。

他說：「食咗啦！」

我們搭乘電梯回家，我總是覺得他跟平時有點不一樣。噢，對了，他的身上飄出一陣香味，不是洗髮水、沐浴乳那種，而是……香水，抑或是古龍水？可是他從來就沒有噴古龍水的習慣。

不過，轉念一想，雖然他近來行為古怪，但他健康良好，

又沒有甚麼賭錢的壞習慣，而且一向算是精明，我也沒有甚麼好擔心的；作為兒子，我只要努力工作，讓他生活無憂就好了。

洗過澡後，我躺在床上，跟阿晴說起綿綿情話，雖然我們不能時常抽空見面，但感情十分要好，她對我的父親更是孝順，只要下年底結婚後，我們就可以天天相見了。

「咯咯。」我的房門被敲了敲，然後父親就走了進來。

我暫時放下電話，問他：「老豆，做咩呀？」

「哦，我想問你拎三千蚊，我唔夠錢用呀。」他說。

「哦？」我皺了皺眉說：「咁啱我今日摷咗幾千蚊，你自己去我銀包拎啦。」

「嘻嘻，我個仔真係孝順。」他邊說邊拿起我放在書桌上的錢包，快速地取了三千元。

我看到他微微揚起的嘴角，禁不住道：「慳啲用呀！」

「得啦！衰仔，我拎一次啫，冇錢嘅話，有愛都一樣可以

父 親

喋嘛。」他說罷就立即笑咪咪地轉身離開。

　　老實說，我完全不知他在說甚麼，不過我也懶得現在問了，因為阿晴正在電話的另一端等著我。

　　「喂，阿晴。」

　　「Teddy，屯門區嘅物價應該比市區平喫嗰，世伯係唔係有啲咩事呀？重有，佢講咩有愛都一樣可以呀？」

　　「佢近來係有啲神神化化，不過應該冇咩事嘅。」我說。

　　「你呀，多啲關心下世伯啦！」她嬌嗔著。

　　「嫁出去嘅仔，等於潑出去嘅水呀！我只係識關心你喫咋！」

　　「我都費事睬你，今個星期日我入嚟同你兩仔爺飲茶，我要同世伯傾下偈呀。」

　　「好好好，我聽晚幫你約佢，不過我唔知佢得唔得開睬你喫。」

　　「哼！」

我們再聊多了一會便互道了晚安，忙碌的一天就這樣完結。

第三章

阿晴

屯門
公園

第三章　　阿晴

「哇，施旨山，今日噴晒古龍水咁嘅？」Patrick甫回到公司就嘲諷著我：「男人噴古龍水，一定為媾女！」

我聳了聳肩，無奈地說：「男人噴古龍水，一定為撲水就真呀！我今日約咗芭芭拉。」Patrick故作震驚的樣子問道：「哇，你打算犧牲自己嘅貞操？咁未來阿嫂點算？」

「你都痴線，邊有犧牲貞操咁誇？最多畀佢抽下水，搵食係咁㗎啦。」我道。

「施旨山呀施旨山，唔好話我唔提你，你著多條褲好啲。重有，有事記得叫唔好，同埋講畀信任嘅人知。」

我拿著公事包站起來，翻了個白眼道：「再嘈捉你去一齊玩。」

他大力揮揮手說：「咪搞，留畀你獨食啦！」

Patrick說得沒錯，芭芭拉確是一個變態的女人，她約我在私人會所的餐廳見面，安排了二人廂房用膳，期間不停對我毛手毛腳。幸好她沒有約我到酒店見面，不然我的貞操真怕會保不住了。很多人都以為男人不會是性騷擾或性侵案的受害者，但經過這次，我可以肯定那只是偏見。

不過作為受害者，我確是敢怒不敢言，尤其她真的幫我簽了單，我就只好當自己做了場惡夢算了。

跟她見過面後，心情著實有點不好，碰巧本來晚上要見的客人臨時沒空，我便回到屯門市廣場逛了一會，買了一條近來十分流行的名牌手鏈給阿晴，待星期日送給她，畢竟近日我忙於工作，實在疏忽了她。

購物過後，我致電給父親，打算跟他晚餐去吃點好的，可是撥了幾次電話，他都沒有接聽，我也嘗試發訊息給他，可是也沒有回音。

無奈之下，我只好先回家，看看他是不是在家。

甫打開家門，我已肯定父親不在家，因為全屋都漆黑一遍，不過我卻嗅到淡淡香氣，跟昨晚從父親身上飄出的古龍水味一樣。

「老豆？」我不自覺地喚了一聲，同時亮著了電燈，但見屋內空無一人，嗅真一點，那古龍水氣味非常淡，加上屋內沒有開窗，可能是父親出門前噴古龍水後留下的餘香。

不知為何，我的腦海想起了Ｐａｔｒｉｃｋ今天說的一句：

第三章　　阿晴

「男人噴古龍水，一定為媾女！」

難道父親結識了女朋友？想來母親已病逝了三年，父親也許真的會感到很孤單，結識新女伴也沒有甚麼問題。

我走進父親的房間，看到他的床頭櫃上放著一個小玻璃瓶，裡面插著一枝快要凋謝的紅玫瑰花。

父親一向不愛花，不知這花從何而來？再想起父親昨夜問我拿錢，實在更令我摸不著頭腦。

我看看手機，他還是沒有回覆我的訊息，我再試著致電給他，卻仍是沒有接聽，難道他真的正在風流快活中？

正當我思考著時，手機突然響起，不過不是父親致電過來，而是阿晴。

「Teddy，收工未啊？我好掛住你。」她甜美的聲音從話筒傳來。

「收咗啦，而且已經返到屋企。」我邊說邊攤在梳化上。

「點解今日咁早嘅？而家先七點幾。」

「哈哈，」我乾笑了兩聲，不知怎的想起芭芭拉對我毛手毛腳的情形，稍支吾了一會才說：「你叫我多啲關心老豆嘛，咪早啲返嚟想同佢食飯，點知佢又唔痴家，唔知去咗邊玩。」

「咁……你一個人食飯，咪好慘囉？」她說。

「直頭孤獨老人咁呀！」我自嘲。

「不如……我而家過嚟揾你食飯？反正上星期日加班，我聽日有得補假呀！」

聽到阿晴過來陪我，我當然十分高興，連父親的事都拋諸腦後，反正，有甚麼事都可等他夜點回來再說。

我和阿晴到屯門市廣場吃晚飯，還把手鏈送了給她，她高興得立即戴了在手上。

晚飯後，我牽著她逛商場，直到十時多那些店舖陸續關門，我們才回家去。

父親還沒有回家，也沒有回覆我的訊息。

第四章

報案

屯門公園

報案

　　在梳化看電視時，我打趣跟阿晴說：「唔知老豆係唔係有第二春，如果係，你就無啦啦多咗個奶奶。」

　　她瞪了我一眼，然後說：「係咁嘅話，你都多咗個後母啫。」

　　「後母事小，有婆媳糾紛事大呀。」我道。

　　阿晴噘了噘嘴，嬌嗔著：「咁我唔嫁啦！」

　　我們就這樣打情罵俏，不知不覺到了十二時，父親竟然還未回家。

　　阿晴催促著我不停致電找他，但都不得要領，而且父親的電話更由早前的沒人接聽，變成了接不通，大概是沒有電了。

　　阿晴問：「使唔使報警呢？」

　　我看看時鐘，以不確定的語調道：「再等下，可能佢同人出夜街玩耐咗呢！」

　　我雖然這樣說，但從小到大，即使是母親過身後這三

年，父親都沒有試過這樣；縱然是外出跟朋友吃晚飯，最遲十一時也都會回到家，而且事前也會跟我說。

不過，我真的不想太過杞人憂天，以父親近來的表現，他確實似是結交了新朋友。萬一他只是跟朋友外出，我卻跑去報警，豈不是浪費警力嗎？

我故作沒事般選了齣電影，跟阿晴窩在梳化上一起看。阿晴看來憂心忡忡，儘管如此，隨著時間過去，我們都累得在梳化上睡著了。

當陽光透窗而照進在我的臉上時，我惺忪著張開雙眼，下意識地拿起放在旁邊的手機，看到時鐘顯示著早上六時多。

事實上，我只睡了三小時左右，電視機停留在電影播放完畢的畫面，我勉強抖擻一下精神，起來走到父親的房間，推開房門，驚覺他還未回家。

我低頭看看手機，昨夜發給他的十幾個訊息，他都沒有回覆，更別說要回電給我了。

「世伯重未返？」在我呆望著父親那整齊的床鋪時，阿晴

報 案

醒來了並來到我身後。

我皺了皺眉，回頭道：「睇嚟要去報警先得。」

我們簡單地梳洗和換衣服後，便出門乘的士往附近的警局。

阿晴在的士上疑惑地看著我雙手的位置問：「報警都要拎公事包？」

我理所當然地道：「係呀，一陣晏啲約咗個客。」

她聽完了我的說話，不知為何用匪夷所思的眼神凝視我道：「世伯唔見咗，你重去見客？」

「一陣報咗警，差人就會幫手搵，當然我都會再試下打畀老豆，同埋諗下佢會去咗邊度。」我解釋。

阿晴搖了搖頭，但沒有再說甚麼。

我當然明白她的意思，我也不是不擔心父親，但是或許警察很快便找到他呢？如果我因此而得失了早就約好的客人，那就麻煩了。要是一會真有甚麼突發事情要處理，才

跟客人說改期再見也不遲。

我們來到屯門警署，沿著樓梯上了一層到達報案室，花了一小時跟警察說明了原委後，怎料警察卻表示不會開立調查檔案，他聽罷我形容父親近日的狀況，便說父親很大可能只是跟朋友外出，沒有甚麼可疑，勸喻我自行繼續試著聯絡他。

本來我昨天晚上還擔心太早報警會浪費警力，看來我真是多慮了，即使今早才報警，警方也根本不受理，一點警力都不打算花，自然也不構成浪費警力的問題。

「你哋點可以咁㗎？一個老人家成晚冇返，之前都冇試過，成件事就好可疑！」阿晴在警署大叫大嚷。

他一副不屑的表情抬頭看她，然後道：「小姐，阿Sir做嘢唔使你教！而且個老人家有手有腳，平日又健康良好，佢有自由出街，我哋最尊重市民嘅自由，你都唔使咁早緊張定先。」

那警察說完便站起來，拾起地上的一枝玻璃刮水器和一個橙白相間的錐形路標，喃喃自語道：「鬼死咁多嘢做，阻住晒……」

第四章　報案

「你……」阿晴本來想罵下去，卻被我打斷了說話：「哦！阿Sir，唔該你先。」說罷我就拉著阿晴離去。

甫離開警署，阿晴就生氣地甩開我說：「做咩阻止我？明明啲差人應該幫市民。」

「咁……咁佢哋唔肯幫，我哋嘈落去都冇意思，不如諗下重可以點搵返老豆好過。」我輕撫她的肩膀，試著令她冷靜下來。

她嘆了口氣，道：「咁而家點？」

我們思考了一會，決定回家看看父親有沒有留下甚麼蛛絲馬跡，同時我也繼續試著致電父親，看他會不會重啟電話。

我們飛快地回到家中，阿晴幫忙在社交網站和討論區張貼尋人啟事，我則翻弄著父親房間中的物品，但除了那枝已枯萎的紅玫瑰花和一瓶古龍水外，就再沒有其他特別的東西。

我們這樣一直忙了兩個多小時，都沒有任何進展，直至接到一通電話。

屯門
公園

第五章

自殺

門
屯
園
公

自殺

　　那是一通來自警署的電話，說是已找到父親，我們一聽即放下心頭大石，還心想剛才報案時那警察雖然不願開立調查檔案，但可能還是有幫忙叫同僚在街上巡邏時留意一下。

　　我邊聽著電話邊穿鞋子，準備出門去警局接父親，卻從話筒中聽到我要去見父親的地方，竟然是……殯房。

　　我默然掛上了電話，殯房？父親竟然在殯房？他昨晚仍是好端端地活著，怎麼現在已經變成了一具冰冷的屍體？

　　我們用最快的速度，不消半小時已身在殯房，阿晴陪著我站在父親面前，她的哭聲在殯房中迴盪，但我卻沒法流下眼淚。我的心很痛，痛得我快要昏厥過去，明明幾星期前才開開心心搬到新居一起住，為甚麼會變成這樣？

　　警察說，爸爸的屍體是今早在屯門公園的人工湖內被發現，湖邊有父親的鞋和遺書。父親在遺書中提到他很想念母親，很想能陪伴母親。

　　「明明世伯喺伯母過身一年後已心情平復好多，未搬之前又會同柴灣啲街坊行山，心情都唔錯咁……」阿晴邊哭邊呢喃著。

「而且……而且呢幾晚見到佢時，佢心情重好好，點解……點解佢突然間會咁……？」我搖著頭說。

「阿Sir，死者冇咩可能係自殺，最近先咁開心搬嚟屯門新屋住，點會突然間睇唔開？不如查清楚啲！」阿晴跟警察據理力爭。

那個看來已有五十多歲的警察謎起了眼睛道：「其實我哋當差見好多呢啲個案，好多男人或者老人家有情緒病都會扮開心，怕啲後生擔心，所以屋企人未必知；而且聽你講，佢最近先搬嚟屯門，可能一下子冇晒啲街坊，心情自然更差。」

阿晴不願就此作罷，立即想接話道：「但係……」

但是，那警察卻打斷了他的說話，遞上被封在透明膠袋中的遺書給我們道：「睇一睇係唔係老人家嘅筆跡。」

父親以前經常會寫便條放在飯桌，提醒下班回家的我要喝湯吃生果等等，我對他的筆跡可是十分熟悉，是以我一看遺書，就知道那是父親親手寫的字，那我們還可如何質疑他不是自殺呢？

自殺

「係就搞埋啲手續，我重有好多嘢做。」那警察說。

「嗯。」我心痛地回應著。

踏出醫院的時候，我的電話突然響起。

「喂，Teddy，我已經到咗餐廳啦！」是我今天約了的客人，我竟然完全忘了跟他取消見面！

「呀，我好快到啦，因為塞緊車，大約半個鐘左右會到，唔好意思。」我強忍著淚說了個謊。

「好啦，你盡快啦。」

掛線後，阿晴嘆了一口氣看著我：「你重去見客？」

我看著她，過了半晌才道：「阿晴，而家我暫時都冇咩急住要做，就等我見埋個大客先再處理老豆嘅身後事。」

她向後退了一步，呢喃著：「點解你可以咁冷靜？你覺得世伯真係自殺咩？」

我緊抿著嘴唇，然後深呼吸了一口氣，眼淚終於湧出了眼眶，我的心痛卻沒有因此而緩解。

　　阿晴見狀上前緊抱我，我努力振作，強忍淚水：「老豆走咗，我點會唔難過？但係警察都以專業去判斷佢係自殺，我重可以點？」我頓了一頓又道：「要怪就怪我冇好好關心老豆，唔察覺到佢情緒有問題……」

　　「Ｔｅｄｄｙ，對唔住，我唔應該喺你傷心嘅時候重怪你。」

　　「我知道你一向好關心我老豆，老豆咁樣你都一定好傷心。」我緊緊抱了她一下，然後終於無奈地道：「我要去荃灣見客，我今日只係見呢一個客就會返屋企，你喺屋企等我好唔好？」

　　她點了點頭，我們便到醫院外的的士站，各自登上了的士，向著不同的方向前去。這時我還未意識到，自己做了一個多麼錯的決定。

第六章

公園

門園
屯公

公 園

幸好我約了客人在荃灣，不消半小時車程已到達。

我在客人面前勉強提起精神，我知道就算自己傷心崩潰，也是於事無補，父親也不會願意我如此。

一小時後，我終於見完客，便趕緊乘車回家，我在巴士上拿出手機，卻見到原來阿晴在半小時前發了個訊息給我：「我去屯門公園睇睇，想睇下會唔會有咩世伯留低嘅嘢係警察睇漏咗。」

阿晴真的太好，她對父親的死如此上心。不過，雖然我也難以接受父親會自殺，但是既然有遺書，加上我父親隨和的性格並不會與人結怨，實在想不到會有任何其他可能性。我想事情就正如警察所言，是我忽略了父親的情緒。

我回到家中，見到阿晴的手袋在梳化上，可是人卻不見了，我想她應是因為去附近的公園而選擇輕便地只拿錢包和手機吧。

我放下公事包，順道整理了一會文件，把檔案傳回公司，當把工作完成後，看看手機已下午四時多了，阿晴還未有回來，我便發了個訊息給她：「我喺屋企啦，你而家重喺公園？」

　　過了十分鐘左右，她也沒有回覆，是以我便致電給她，電話卻一直沒有人接。

　　雖然我沒有到過屯門公園，不知道公園有多大，但是我想阿晴並不會在公園逗留太久，畢竟她平常也十分討厭跟陽光玩遊戲。我猜想她有可能去公園走了一圈後沒甚麼發現，便到屯門市廣場逛逛兼享受一下冷氣。

　　阿晴平時也很喜歡逛商場，有時逛得樂極忘形也會不接電話，這我也見怪不怪了，而且今天大家的情緒都不好，讓她逛逛散散心也是好的。

　　我又待多了大半個小時，才決定動身去找她，順便外出吃晚飯。

　　我脫下襯衣和西褲，換上舒適一點的衣服出門去，雖然我覺得她應該已離開了屯門公園，但是我還是先往公園去，畢竟我自己也有點想看看父親選擇離開的地方。

　　我家就在屯門市廣場的上蓋，非常鄰近屯門公園，我穿過熙來攘往的商場，經過橫跨輕鐵站的天橋，便來到了目的地。

第六章　公園

　　甫踏進公園，我便聽到一些難聽的歌聲，吵耳得令我不得不立即遠離，於是我便背著歌聲的方向走。

　　由於這天不是假日，公園的遊人不多，我沿途四處張望，找尋阿晴的蹤影。

　　這個公園比我想像中大，想不到還有爬蟲館，可惜已經關門了，不然我絕對會進去遊覽一下。

　　我站在爬蟲館的門前，剛才在公園入口聽到的歌聲從我的右邊傳來，而我的左邊卻有另一陣更震耳欲聾的音樂聲，我稍為走近一看，見到左面一處空地的樹蔭下，有好幾個體態臃腫的女人正扭動著臀部、搔首弄姿地跳舞，旁邊的樓梯上有幾個老伯，不知是在乘涼還是在欣賞舞蹈。

　　現在左右兩個方向都傳來音樂，實在有環迴立體聲之感，刺耳的噪音加上臃腫的女人，一陣厭惡感湧上了我的心頭。

　　我急步走過爬蟲館的入口，再向右方的路段前進，來到一處有小橋瀑布的地方，水聲淙淙卻竟然都掩蓋不了遠處那煩人的歌聲。

　　在橋上俯身查看，水深很淺，這應該不是父親離開的地方。我站在橋上張望，看到不遠處有一個非常大的人工湖，湖邊有幾個人站著不知在做甚麼，湖的右方有一個很大的涼亭，隱約可以見到有些人在跳舞，那處大概就是噪音的來源吧。

　　我離開小橋向人工湖走去，同時看了看手機，已是快六時了，但阿晴仍沒有回覆。

　　走近人工湖一看，原來湖上有幾艘遙控船，由湖邊的人在操控著。我蹲在湖邊，看著那些遙控船在水上飛馳，心中真想父親的靈魂現在也是如此自由自在。

　　這個人工湖很大，水也很深，父親應該就是在這裡投湖自殺的，環顧四周，別說是阿晴的身影，就連昨夜有人在這自殺的痕跡也是毫無痕跡，遊人或散步或玩遙控船或跳舞唱歌，沒有人會關心這裡才不夠一天前有一個生命流逝去。

　　想著想著，我壓抑了一個早上的眼淚沒法停止地流下來，滑過臉頰流到下巴，再由下巴墜落，滴進，融合到湖面因遙控船駛過而產生的漣漪中。

公 園

　　我甚至哭出了聲音，自母親離開後，我很久沒有這樣大哭過，今早因消息太突然，加上在阿晴面前和要見客而勉強壓抑的情緒在一瞬間爆發，像小孩般坐在湖邊大哭起來。

屯門
公園

第七章

娜
娜

屯門公園

第七章　　娜　娜

　　腦海中關於父親的回憶突然全都湧現上來，小時候父親接我放學後帶我吃雪糕、一家人去海洋公園看海豚、父親害怕玩機動遊戲的模樣、在大學畢業禮中父親欣慰的表情、母親彌留時父親的眼淚，還有這幾天父親快樂的神態……這些都在一瞬間出現在腦海中，卻又再隨著父親的離開和眼淚的墜落而消散。

　　我不知自己狂哭了多久，只知道身心都覺得很累，直到天色漸暗下來，才意識到自己應該哭了一段很長的時間。

　　我站起來擦乾眼淚，從褲袋掏出手機，看到阿晴還是沒有回覆我，而她的上線時間仍停留在七小時前，也就是她發訊息來說她要到屯門公園的時間。

　　現在已經到了晚飯時間，我心裡有點納悶，屯門市廣場真的這麼好逛嗎？

　　我重新袋好手機，回頭向公園出口前去，途中經過那個湖邊的大涼亭，真沒想到過了數小時，那些人竟然仍在唱歌跳舞。

　　我走近一看，見到一個約五十多歲的女人竟然身穿露腰抹胸上衣和短裙，薄得出奇的白色衣料透出內裡的紅色蕾

絲內褲，她扭動著腰肢，搖擺著臀部，在油脂過盛的臉上擠出笑容，她那有點贅肉的雙腿前後輕擺，以舞步走向一個也在擺動身體的老伯前，突然從胸前掏出一枝紅色的玫瑰花讓他咬著，然後就自然地把雙手擱在他肩上，二人面對面把胸部貼在一起，老伯表現得也很享受，雙眼像是問米般在翻動著，連舌頭都伸了出來，鬼食泥般呼喚著：「娜娜，你今日好似又後生咗又滑咗。」

那個名叫「娜娜」的女人驕傲地笑了笑：「可能聽日重後生重滑呀，呵呵！」

老伯聽罷突然就像是鬼上身一樣，用左手左腳撐著地，側身橫躺地上，右手握拳揮動著，做著自以為是Hip-hop的舞姿。

不知為何，我的胃部突然一陣翻滾，有種想吐的感覺，同時也不禁擔心那老伯會中風。

我別過臉去想轉身離開，一個路過的婆婆不小心撞到過來，婆婆很瘦弱，是以我趕忙用力扶穩她，以免她跌倒。

她一直垂低頭，連道謝都沒有，就跌跌撞撞地急著離開了。

第七章　娜　娜

　　我搖了搖頭，她很大可能是來公園找正在跟大媽跳貼身舞的丈夫。

　　見她步伐漸穩，我便沒有再理會她，而是急步離開公園，沿天橋回到屯門市廣場去，同時發了個訊息給阿晴：「好夜啦！我哋出街食晚飯啦！」

　　我拿著手機納悶地在商場四處遊逛，還特別留意阿晴平時最愛的商店中有沒有她的身影，不過說真的，這個商場非常大，又連接著其他幾個商場，要遇上阿晴真是毫不容易呢！

　　過了半小時，阿晴還是沒有回覆我，我便撥了個電話過去，可是她仍然沒有接電話。

　　這種情況不是沒有發生過，對上一次是阿晴因為小事而生氣，在吵架後整整一天沒有接我的電話或回覆我的訊息。

　　不過，這次我有甚麼惹阿晴生氣了嗎？是因為我剛才忙著見客？可是我也解釋了我只見一位客人就會回來，在的士站道別時，阿晴明明也沒有在生氣。抑或阿晴因為父親的死太傷心，所以沒有心情回應我？可是，這件事上，最傷

心的人明明應該是我。

我為父親的死難過，又為阿晴不回應我而生氣，連肚子餓的感覺都沒了，便決定先不再找阿晴，也不再在商場流連，拖著腳步到便利店買了幾瓶啤酒回家。

回到家中，我把鑰匙大力地扔在飯桌上，踢掉鞋襪，一屁股攤坐到梳化，拉開一瓶又一瓶啤酒狂喝起來。

我感到臉紅耳熱，整間屋只有我一個人，也許以後也會只得我一個人，父親永遠也不會回來。啤酒的苦澀流過喉嚨，但是也及不上眼淚滑進唇邊那麼苦。

「呀──！」我發了瘋般大叫著，天花板像是抽獎幸運輪那樣在轉，可是我知道那裡沒有獎賞，也沒有幸運輪。

天花板愈轉愈暗，然後眼前只有漆黑，我好像聽到父親的聲音，也似乎聽到阿晴的叫喚，但是我知道這些都是假的。

我用力把雙腳擱在梳化上，側著身體捲縮著。

「咦？」我突然心生一種疑惑，因為我的腳趾觸碰到一件東西。

第八章

報案

門
屯
園
公

第八章　報案

我模糊地動了動用腳趾,然後整個人就忽然從酒醉中完全清醒過來。

我霍起整個人坐起來,呆看著我的腳趾頭所碰著的東西,那是阿晴的手袋!如果阿晴因為生我的氣而不接電話不回訊息,她賭氣回家去也一定不會不拿自己的手袋吧!

手袋仍在我家中,即是阿晴本來是打算回來,但最終卻因某些原因未能回來!

而她也不是因為生氣而不回覆我,她是沒法回覆我!

我的酒氣在一剎那間全散掉,急忙拿起跌在地上的手機,試著致電給阿晴,可是這次她不是沒有接聽,而是電話根本不通。

我全身突然冒出冷汗,想起爸爸死前一晚,他的電話也是那樣由沒人接聽變成了接不通,然後到了第二天,我便收到他的死訊。

難道……阿晴也……?

我氣急敗壞地跑出家門,在樓下截了的士,直奔往屯門

警署。

「吁……吁……」我跑進了警署。

不知為甚麼，時隔了大半天，報案室當值的警員仍是今早那個，怪不得警務署總是說人手不夠，畢竟這年頭已沒有多少人想考警察。

「又係你？」我跟他幾乎同時叫了出來。

我看見他，一陣憤怒的情緒湧了上來，怒氣沖沖地走過去大叫大嚷：「今朝我報案時你唔受理，我老豆死咗啦！你開心啦！」

他抿了抿嘴唇道：「先生，我都係跟足程序做……」

「程序？你唔好同我玩官腔，我女朋友而家都唔見埋！我要報案！」我的情緒一下子爆發了出來。

「先生，你要冷靜啲先。」

「叫我冷靜？我點冷靜呀！」

他氣定神閒地坐下看著我，就像是看精神病患者一樣。

第八章　報案

　　他的眼神令我深感無奈，對峙了半晌，我終於別無他法地迫使自己冷靜下來，向他道出今早跟阿晴離開殮房後分道揚鑣，然後我就收到她的訊息說要到屯門公園，再到現在完全失去聯繫的經過。

　　「施先生，其實男女爭執之後，其中一方聯絡唔到都好平常嘅。」那個警察又想大事化小。

　　「你……你唔好再同我嚟呢套！」我努力抑壓著怒火。

　　他冷漠地看著我，過了半晌才道：「先生，你身上有酒氣，我懷疑你唔係咁清醒，頭先所講嘅亦未必真確，你……」

　　他還未說完，我已怒不可遏，大力拍打著桌子，喝道：「我句句屬實！你偷懶唔想做嘢咋嘛，平時冇事就呃ＯＴ，有事又唔理，我……」

　　可是我話音未落，突然便有兩個警察衝了出來，我的腳被踢了一下，旋即失去平衡跌在地上，他們按著我的肩膀把我制服在地上，使我動彈不得。

　　「先生，你再搞事我哋可以告你報假案、襲警同埋醉酒

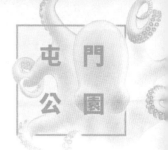

鬧事。」其中一個警察說。

我喘著粗氣，心生不忿，可是我還可以怎樣呢？

我的肩膀疼痛得要命，過了良久，我才不甘心地說了一句：「唔報警啦！我走啦，得未？」

他們一手把我抽起來，然後我也不知是自己走出去，或是他們推我出去，反正最後我就是那樣離開了警署。

我頹廢地走在街上，看看手機已是半夜三時多，街上冷清得很，走了兩個街口，才見到一輛紅的停泊在路邊，一個應該是的士司機的大叔站在路邊倚著車正玩著手機。

「嗨！」我揚手叫了叫他：「載唔載客？」

他抬頭看看我，不知為何呆了一會才回答：「載！有生意點會唔做？」

我連忙擠進了後座，待他也上車後便道：「去屯門市廣場。」

「X！去咁近？」他罵道，但很快就說：「算！當我倒霉！」

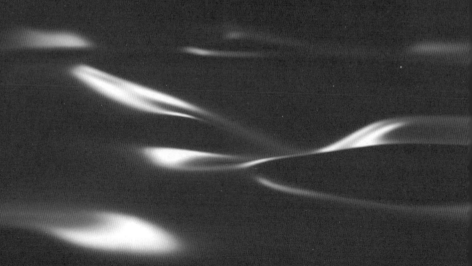

第九章

夜闖

屯門公園

第九章　夜闖

　　的士在半夜路上奔馳，我平日很少會跟的士司機談話，但這時我不知為何嘆了一口氣，吐出了幾句抱怨：「而家啲差人，報案又唔受理，明明係靠我哋納稅人出糧，但就乜都唔幫手！」

　　的士司機從倒後鏡看看我，然後道：「呢個年代重旨意警察幫？後生仔，聽時叔講，做人最緊要自己幫自己。」

　　原來他叫時叔，我又再嘆氣，腦袋卻思索著他的說話。

　　從屯門警署回家就只是數分鐘的路程，的士在頃刻間就已到達。

　　「廿四蚊。」時叔說。

　　「做人最緊要自己幫自己？」我重複著他剛才的話，若有所思。

　　他回過頭來凝視我，然後道：「係呀，你都幫幫手，快啲畀廿四蚊我。」

　　我皺皺眉，不禁喃喃自語：「做人最緊要自己幫自己……做人最緊要自己幫自己……做人最緊要自己幫自

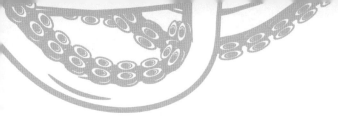

己⋯⋯」然後猛地抬起頭道:「車我去屯門公園。」

「吓?而家半夜三更,公園都閂咗啦!」

「你喺門口放低我就得!」我道。

他默不作聲,然後開動了汽車,直駛往屯門公園。

事實上,我家跟屯門公園也只是數道馬路之隔,在的士短暫的行駛期間,我滿腦子都是父親和阿晴,父親在屯門公園死去,阿晴說去屯門公園後就失蹤,這個地點一定是關鍵。

的士很快來到屯門公園一道閘口前的馬路,旁邊是一所小學,我從車窗看出去,那個閘門大約是一個人的高度,只要稍為翻一下就能進去了,是以我急急打開車門,直奔了過去。

「喂!」時叔不知為何在後方叫我。

不過我沒有理會他,因為我實在愈想愈不對勁,我甚至開始害怕阿晴的命運會像父親一樣,最後被發現死在湖中。

第九章　夜闖

幸好我以往有做健身，是以我輕易地翻過了閘門，向黑暗中的屯門公園邁進。

可是，正當我走前幾步時，突然有一股力量拉著我的肩膀，不過明顯地我的力氣較大，我猛地甩開他，轉身一看，眼前的原來是時叔。

他擺出拳擊的動作在原地彈跳著，結結巴巴地說：「我唔驚你㗎！你搭霸王車？我追到天腳底都要追返呀！快啲畀錢呀！廿四蚊呀！」

我這才想起，剛才我急著下車，連車費也忘了付。

我不好意思地抓了抓頭髮：「啊！我唔記得咗，而家畀。」說罷我從銀包取出廿四元給他。

他急急拿了錢，然後便轉身想離去，卻發出了「咦」的一聲怪叫，然後呆若木雞地看著前方。

我好奇地踏前一步，想知道他在看甚麼，他卻突然後退了一步撞到了我，接著更回過頭來一臉驚恐地看著我，張大嘴巴從喉嚨發出了怪聲：「格格格格格格格格格格格格格格格格格格格格格格格格格格格格格格格格格格

格格格格格格格格格格格格格格格格格格格格格
格格格格格格格格格格格格格格格格格格格格格
格格格格格格格格格格格格格格格格格格格格格
格格格格格格格格格格格格格格格格格格格格格
格格格格格格格格格格格格格格格格格格格格格
格格格格格格格格格格格格格格格格格格格格格
格格格格格格格格格格格格格格格格格格格格格
格格格格格格格格格格格格格格格格格格格格格
格格格格格格格格格格格格格格格格格格格格格
格格格格格格格格格格格格格格格格格格格格格
格格格格格格格格格格格格格格格格格格格格格
格格格格格格格格格格格格格格格格格格格格格
格格格格格格格格格格格格格格格格格格格格格
格格格格格格格格格格格格格格格格格格格格格
格格格格格格格格格格格格格格格格格格格格格
格格格格格格格格格格格格格格格格格格格格格
格格格格格格格格格格格格格格格格格格格格格
格格格格格格格格格格格格格格格格格格格格格
格格格格格格格格格格格格格格格格格格格格格
格格格格格格格格格格格格格格格格格格格格格

第九章　夜闖

格格格格格格格格格格格格格格格格格格格格格格
格格格格格格格格格格格格格格格格格格格格格格
格格格格格格格格格格格格格格格格格格格格格格
格格格格格格格格格格格格格格格格格格格格格格
格格格格格格格格格格格格格格格格格格格格格格
格格格格格格格格格格格格格格格格格格格格格格
格格格格格格格格格格格格格格格格格格格格格格
格格格格格格格格格格格格格格格格格格格格格格
格格格格格格格格格格格格格格格格格格格格格格
格格格格格格格格格格格格格格格格格格格格格格
格格格格格格格格格格格格格格格格格格格格格格
格格格格格格格格格格格格格格格格格格格格格格
格格格格格格格格格格格格格格格格格格格格格格
格格格格格格格格格格格格格格格格格格格格格格
格格格格格格格格格格格格格格格格格格格格格格
格格格格格格格格格格格格格格格格格格格格格格
格格格格格格格格格格格格格格格格格格格格格格
格格格格格格格格格格格格格格格格格格格格格格
格格格格格格格格格格格格格格格格格格格格格格

屯門公園

格格格格格格格格格格格格格格格格格格格格格
格格格格格格格格格格格格格格格格格格格格格
格格格格格格格格格格格格格格格格格格格格格
格格格格格格格格格格格格格格格格格格格格格
格格格格格格格格格格格格格格格格格格格格格
格格格格格格格格格格格格格格格格格格格格格
格格格格格格格格格格格格格格格格格格格格格
格格格格格格格格格格格格格格格格格格格格格
格格格格格格格格格格格格格格格格格格格格格
格格格格格格格格格格格格格格格格格格格格格
格格格格格格格格格格格格格格格格格格格格格
格格格格格格格格格格格格格格格格格格格格格
格格格格格格格格格格格格格格格格格格格格格
格格格格格格格格格格格格格格格格格格格格格
格格格格格格格格格格格格格格格格格格格格格
格格格格格格格格格格格格格格格格格格格格格
格格格格格格格格格格格格格格格格格格格格格
格格格格格格格格格格格格格格格格格格格格格
格格格格格格格格格格格格格格格格格格格格格
格格格格格格格格格格格格格格格格格格格格……」

第十章

時叔

屯門
公園

時 叔

這個情形，這種聲音，實在有點似曾相識，印像中好像不知從哪兒聽過或看過類似的情形，不過一時三刻我又想不起來，而且時叔不只嘴巴發出「格格」聲，右手還不停揮舞著，引導我望向他指向的位置。

我探頭看他身後，在公園的閘門外，那本應停泊了的士的馬路變得煙霧瀰漫，而且那些煙霧的顏色十分奇怪，竟然呈現不尋常的紫色。

我疑惑地踏前幾步，跟時叔擦身而過時，他的喉間仍是格格作響。我來到公園閘門前向外張望，在迷霧中，竟然沒有的士，沒有馬路，也沒有學校。

這是不可能的，即使迷霧有多濃，也著實沒有可能連馬路也看不見，但此刻我蹲下身子，確實連在閘門外的地面也沒法看到，我把手伸出閘外，想摸一下地面，可是卻沒有碰到任何東西，要我形容的話，我會說現在我身處的公園，就像是凌空於紫色迷霧中一樣！

當我意識到這一點時，我不禁腿部發軟，從原本蹲著變成直接跌坐到地上，還撞到了身後的時叔。

「你⋯⋯你頭先伸手出去，摸到啲乜？」時叔的聲線明顯抖顫著。

我茫茫然地抬頭看他，然後道：「咩⋯⋯咩都摸唔到，連地下都冇⋯⋯而且⋯⋯啲紫色霧有啲凍⋯⋯」

我聽到時叔深沉的呼吸聲，然後他也蹲了下來，慢慢把右手伸到閘前，當他的手指觸碰到閘門時，他稍猶豫了一下，但最後還是吸了一口氣，便把手伸了出去。

他的手在閘門外向下探索，就像我剛才那樣想觸碰到地面，可是很明顯地不得要領。

他的手慢慢握成了拳頭，然後過了良久才把手收回閘內，再嘆了一口氣，莫名奇妙地說：「你係唔係姓施？」

我坐直了身子，不解地問：「你又知我姓施？」

他猛地轉身，道：「你哋呢啲姓施嘅細路真係冇好帶挈⋯⋯」

我不明所以地回答：「你⋯⋯你咩意思？姓施嘅又得罪你？」

第十章　時叔

他突然大聲道：「我問你！你係唔係識施國丈？」

施國丈？他怎麼會問起施國丈？

「你識施國丈？佢咪係我堂弟囉！」我回答。

「噴！」時叔道：「我都估到，你個樣同個死仔好似樣！不過原來只係堂兄弟，重以為係親兄弟⋯⋯」

「吓，係呀，好多人都話我哋似樣。因為我阿爸同佢阿爸⋯⋯即係我叔父都好似樣。」我回答。

「啪！」他突然大力拍打我的頭，道：「唉，之前先同你堂弟入完鬼門關，而家又到你唔知帶咗我去邊！」

我呆望著眼前的時叔，忽然記得堂弟確是說過，他在年多前跟一個的士司機經彩虹站那中間的路軌誤闖進了鬼門關，那個的士司機在慌張時就會從喉間發出「格格格格」的聲音，他倆同生共死地有過一段相當驚險的經歷，回到人間後，堂弟把故事告訴了他的一個作家朋友，出版了一本叫《彩虹站多出來的路軌》的書。

當時我聽堂弟說起，還以為他在吹牛，卻沒有想過原來一切都是真的⋯⋯

屯門公園

　　對了，我以為像鬼門關這種怪事只是幻想，怎想過我現在的確身處怪異的環境中？

　　「你就係同堂弟出生入死嗰個阿叔！」我驚呼了出來。

　　「唉，冇錯，就係我，如果唔係我一直帶領、保護你堂弟，我哋點會齊齊整整出返嚟人間！」他自豪地說，但是我從堂弟口中聽到的版本明明不是這樣……

　　不過算了吧，那件事根本不重要，重要的是為甚麼我們現在會身處在凌空於紫霧中的屯門公園！

　　「哇，真係多謝晒你救我堂弟。」我隨便敷衍了他，然後環顧四周，閘門內的屯門公園看來一切如常，只是部分街燈關掉了，所以稍為幽暗。

　　「個公園睇落好正常，但係……我……我都係想爬返出去先。」時叔說。

　　「爬出去？出面得啲紫霧，連地下都冇……」我說。

　　「後生仔，我食鹽多過你食米，我覺得一切只係掩眼法，話唔定我只要爬出閘外，就可以見返正常嘅世界。」他罷便轉身，慢慢爬上了閘門。

無路

屯門
公園
門
園

無　路

時叔雖然年紀比我長，但要爬上再翻過閘門也並不困難，我看著他翻過了閘門頂部，整個人到了外面的紫霧中，靠四肢攀在閘門外。

「哇！啲霧真係幾凍！」他嚷著。

我翻了個白眼，道：「咁你而家打算點？跳落地？但條路都冇埋喎！」

「唏，我一陣爬到落去，自然就有路㗎啦！」他說罷慢慢向下爬到閘門底部，伸直了右腳向下探索。

看著他一臉疑惑地探索了良久，我也不禁緊張地問：「點呀？」

「嗚啊！點解我明明喺香港地，但係會無路可走？」他大叫起來。

果然如我所料，外面的迷霧不是掩眼法，我們是確確切切地無路可退。

「爬返入嚟先啦！我驚出面有危險！」我雖然如此說，但到底是公園外還是內有危險，其實我也不知道。

他猶豫了半晌，又重新往上爬，翻過門閘後再次站在我面前。

「冇辦法啦，我哋……唯有喺公園搵下有冇其他出路。」我說，同時，我也想找尋阿晴的下落。

我們並肩站在路中心，他突然問我：「係呢？你叫咩名？」

「我叫Teddy。」我說。

「噴，阿叔我唔慣叫人英文名，你中文名叫乜？」時叔說。

「唉……我叫施旨山……」我無奈地回答。

「哈哈哈哈！你堂弟就係象仔，你就係獅子，你家族開動物園㗎？」

我沒有想過他在此時此刻竟能笑出來，或許進過鬼門關的經歷令他能保持冷靜，又或許他只是強裝出沒事的樣子罷。

第十一章 無路

我道：「呢個名係我老豆改，唔該你尊重啲。」說罷我的心一陣痛楚。

他伸了伸舌頭，用爛透的英文道：「鎖你鎖你⋯⋯咁其實你夜媽媽入嚟屯門公園做乜？」

「我⋯⋯」想起父親和阿晴，我的心又一陣劇痛。

我把從搬到屯門起發生的事向時叔娓娓道來，解釋為何我要到屯門公園來。

時叔聽罷搖了搖頭道：「你老豆一定係去咗屯門公園睇大媽啦！唔係邊會咁風騷又噴古龍水呢？不過你個衰仔又真係過份，你老豆搬入屯門之後就變得行為古怪，你竟然完全唔關心？你竟然咁後知後覺？」

我沒法反駁時叔的指責，因為我的確老是想著工作和攢錢，如果我沒有對父親的行為轉變不聞不問，事情就不會發展至此。

我默言不語，時叔見我這樣，就拍了拍我的肩膀道：「不過，都唔可以怪責你嘅，香港人有邊個唔係成日掛住搵錢？有邊個唔係後知後覺到知道瀨嘢先知太遲？」

他的說話好像是要安慰我,但事實卻是令我更沉重,他呆了一會,才又大力拍一下我道:「而家最緊要快啲搵返你女朋友,然後我哋一齊出去!」

我用力地呼出一口氣,試著振作起來,對自己說:「係,我哋要快啲搵返阿晴出去!」

時叔點了點頭,然後從褲袋取出手機看了看,再喃喃自語:「果然係咁。」

「咩事?」我問。

他把手機熒幕展示給我看,同時說道:「手機顯示冇任何網絡,就好似上次我同象仔去鬼門關時咁。」

我也把自己的手機拿出來看看,情況也是一樣,是以我抬頭問:「咁……即係我哋係入咗鬼門關?」

「唉,你同你堂弟啲智力都係咁上下。一樣冇網絡唔代表都係去咗鬼門關,畀少少邏輯啦!」

他說得一點都沒錯,這個邏輯我也不是不懂,大概是因為整件事發生得太突然,所以我才一時腦筋都糊塗了。

第十一章　無路

　　我沒有去跟他爭拗，只是聳聳肩道：「咁我哋行下睇下見唔見阿晴啦。」

　　他伸了伸懶腰大叫：「呀！好耐冇行公園啦！」

　　雖然他看來很輕鬆，但是想起剛才他喉嚨間連環發出的「格格」聲，我相信他現在只是故作鎮定。

第十二章

溜冰場

門園
屯公

第十二章　溜冰場

　　我們進來的屯門公園閘口，並不是我下午到公園時的入口，是以我也不太知道方向，而且現在這個凌空在紫霧中的公園到底還是不是本來的屯門公園，我也不確定，但我們也只好當作是本來的公園般去找出路。

　　公園內的街燈只有部分亮起，但整體不算是太陰暗，在薄霧中仍算是看得見前路，我們在閘門前的地圖駐足細看，原來這裡正是跟人工湖距離最遠的公園南門，是我之前沒有到過的。

　　「行邊好呀？」時叔問。

　　「唔……我都唔知，不過我硬係覺得人工湖係關鍵，不如我哋就向人工湖個方向進發，沿路再留意下有冇啲咩？」我說。

　　我們沿著小徑走，經過一處圓形的空地，仔細看原來是一個滾軸溜冰場，但此刻當然沒有任何人溜冰，空無一人的溜冰場看起來著實有點可怕。

　　「哇！嚇死人咩？」時叔突然驚叫了出來。

　　「咩事？」我也緊張地回應。

他指了指溜冰場一角道:「你睇下。」

我朝他指示的方向看過去,只見溜冰場的一邊放了一雙溜冰鞋。這真奇怪,誰會在溜冰過後留下鞋子呢?溜冰鞋又不是即用即棄的用品啊。

不過,當我們走近一看,就找到了答案,因為那雙溜冰鞋的鞋面已破舊不堪,其中一隻的鞋面甚至已稍為裂開,所以根本再穿不了。

「唉,啲人將垃圾就咁留喺度就算,真係冇公德心。」我說。

時叔沒有回應我,卻莫名其妙地問:「獅子山,你識唔識溜冰?」

「唔識,做咩咁問?」

他聳一聳肩道:「而家啲後生真係廢,想當年阿叔我縱橫滾軸溜冰場,我……」

我不等他說完,就逕自背向他快步走去,因為我實在沒有興趣聽他的威水史。

溜 冰 場

「我呀……喺滾軸溜冰界……」時叔的聲音愈來愈小，因為我走得愈來愈快。

走了一小段路，就看到前方的洗手間，洗手間旁是一處空地，我認得那個空地是在爬蟲館的位置能遠望到的，下午時還有一班大媽在表演歌舞，可是現在當然是一個人影也沒有。

此刻，我的心竟然希望那些大媽都在場，因為有她們在，才是日常的屯門公園。

話說回來，怎麼時叔還未追上來呢？我回頭望向一片迷霧，隱隱地感到有點不妥。

「時叔？」我輕聲叫喚了一下，但沒有任何回應。

我吸了一口氣，稍為提高聲量又叫了一聲：「時叔？」

我得不到半點回應，心突然慌了起來，難道時叔遇到了甚麼不測？我真後悔扔下他自己走了過來，萬一時叔出事了，我真的萬分過意不去；而且如果那樣的話，這裡就只餘下我一個人了！

　　我愈想愈害怕，很後悔讓彼此落單，便沿著剛才來的路往回走，希望找回時叔。

　　雖然我剛才喚了時叔數聲，但轉念一想，如果這裡有甚麼怪異的東西或敵人之類令時叔不見了，我再這樣發出聲響不是太危險了嗎？

　　我放輕腳步，盡量迅速地移動，終於又來到滾軸溜冰場附近，眼前的景象令我目瞪口呆，終於還是忍不住放聲大叫了起來：「時叔！」

第十三章

異象

門園
屯公

異 象

「咩事呀?」他輕鬆地回應。

眼前的時叔,竟然穿上了溜冰鞋在溜冰場上不停快速地繞圈。

「忽咗呀你?呢個時候重有心情溜冰?」我走近他,只見他用鞋帶綁住了鞋面裂開的位置,令溜冰鞋穩固地穿在腳上。

他停下來聳了聳肩道:「後生仔,你冇冒過險又點會明?我入過鬼門關,有啲嘢急唔嚟,而留意周圍嘅線索係好緊要。」

我無可奈何地問:「咁對溜冰鞋有咩線索?」

「唔知喎。」他答。

我斜睨著他:「唔知就行啦!」

我們又繼續沿路向前走,一直走到爬蟲館的入口前,還是一個人影都不見。

爬蟲館的入口左方是一面落地玻璃,我記得下午來時,

能透過玻璃看到裡面有數隻大陸龜。

如果這個屯門公園不是真的,那麼還會不會有那些大陸龜呢?

我彎下腰透過玻璃看進去,裡面有微弱的燈光,清晰可見幾隻大陸龜一動不動地站著。

「睇咩呀?」時叔踏著溜冰鞋走到我旁邊,對,他不願意換回他本來的鞋,他說這樣行動快速得多。

「你睇下,呢度係爬蟲館,入面好多龜。」我指了指示意。

時叔也探頭過來看,我便下意識地退後了一步。

這時我面向落地玻璃,背向身後花叢,赫然透過玻璃的反射,看到一個景象!

「呀!」我嚇得低聲驚叫了出來,並立即回頭張望。

「咩事?」時叔也回頭緊張地問。

我沒有回應他,而是在呆了半晌後,才快步向花叢走去,同時細聽前方有沒有甚麼雜音。

第十三章　異象

　　我握緊拳頭走到花叢前，感到自己的心臟猛烈跳動著，我屏住呼吸仔細觀察前方黑壓壓的花叢，卻沒有發現甚麼。

　　「喂，做乜唧？」時叔來到我旁邊。

　　我短促地吸了一口氣，然後用手撥開了部分花叢，撥完左面就撥開右面的，但是我很快知道我應該不會有所發現，因為眼前的花叢很矮，矮得連一個成年人蹲下時的高度都沒有。

　　「獅子山，你唔好嚇我呀！你搵乜嘢？」時叔大叫。

　　我終於站直了身子，搖了搖頭道：「冇嘢，我諗係我睇錯。」

　　「睇錯？」他問。

　　我猶豫著看著花叢前方那似乎變得更濃的迷霧，天知道裡面有甚麼，只是我真的寧願自己剛才在玻璃看到的倒影是錯覺。

　　「喂！」時叔大力地搖著我。

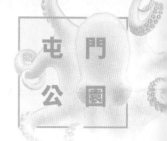

「吓?」我一臉茫然地看他。

「咩睇錯呀?」他再問。

「我……我頭先喺爬蟲館塊落地玻璃嘅反射度……見到……」我頓了一頓,用力吸了一口氣才繼續說:「我見到花叢有個人企喺度,好似望住我哋咁。」

「格格格……」他的喉嚨間又發出了怪聲,同時結結巴巴地說:「唔……唔係嘛?」

「我……我諗我睇錯。」我咬了咬下唇。

他大力踏一下右腳,藉著溜冰鞋滾到遠離花叢的地方,然後壓低聲線叫我:「快啲過嚟啦!點知嗰邊有啲乜㗎?」

我再看了花叢一眼,然後快步向時叔走去。

時叔煞有介事地道:「如果你冇睇錯,而嗰個『人』又咁快唔見咗,除咗係鬼,我諗唔到係乜……」

第十四章

鬼？

屯門公園

第十四章　鬼？

「鬼？」我這樣說的時候，一陣寒意從腳底直冒上頭頂。

「唉，唔好理咁多，快啲去人工湖睇睇，冇料到就睇下嗰邊出口有冇得走。」時叔溜前了幾步，我趕緊跟了上去。

突然，我聽到身後有一把聲音，是一把蒼老無比的聲音：「唔——好——走——呀！」

我頭頂的寒意又湧回腳底，整個人呆立當場。

「格格格格……」想必時叔也聽到那把聲音，他立即回過頭來，雖然環境幽暗，但我仍清楚見到他鐵青的面色，並聽到他喉間發出的怪聲。

他的目光停留在我身後的位置良久，我們就這樣定格了半晌，突然，身後又再次傳出聲音：「唔——好——走——呀！」

「嗚啊！」時叔發出了一聲慘叫，然後拉著我的手向前狂奔，由於他是踏著溜冰鞋，而我就只是穿著普通鞋子，我被他拖著就像是在滾輪上的倉鼠，瘋狂地奔跑，有好幾次差點跌倒在地上。

　　我們一直跑，跑到了一個涼亭，我忍不住回頭看看，當看到似乎沒有甚麼追趕過來後，我終於聲嘶力竭地叫：「停……停一陣呀！吁……吁……」

　　時叔聽到後猛地停了下來，而我一時沒煞停就整個人撞了過去，我們二人都變成了滾地葫蘆。

　　「X！撞死我啦！」時叔呻吟著。

　　「跑死我啦！X！」我喘著氣。

　　「獅子山，你都好渣，重跑得慢過我！」他坐起來拍拍手上的灰塵。

　　「時叔呀，你有溜冰鞋㗎！」我沒好氣地說。

　　「咦，係喎。」他一臉尷尬說。

　　我爬起來並扶起他，他又道：「不過，如果唔係我拉走你，你可能界隻鬼捉咗啦！」

　　「係喎，你……你頭先望住我身後好耐，你真係見到……鬼？」我問。

第十四章　鬼？

「冇喎，咩都見唔到。」

「冇咁你又拉走我？」

「哇！話你冇腦真係冇腦，」他邊說邊拍了我的後腦門：「聽到都覺得恐怖啦，見到先走就太遲。」

「噴。」我無法反駁，卻又突然想起一件事：「唔係喎，聽我堂弟講去鬼門關嘅經歷，鬼都有分好壞，頭先隻鬼未必係害我哋。」

時叔皺起眉頭道：「咁你咪返去囉！咁多嘢講！」

我無奈地道：「都係講下啫，唔啱聽咪算囉。」

他聳了聳肩，道：「唉！點呀？我而家跑完唔記得晒頭先公園個地圖係點，我哋而家喺邊呀？」

我看了看四周，迷霧沒有剛才在爬蟲館那邊般濃，是以我清楚看到這裡是我日間曾經過的人工瀑布，便指指前方道：「呢度係瀑布，前面好近就有個連住行人天橋去輕鐵站嘅出口。」

「咁我哋快啲去睇下出唔出到去。」時叔聽罷急著說。

出口離涼亭非常近，只消幾步就可到達，我們從閘門向外看，外面就像是南門那邊一樣，充斥著紫霧。

我開啟了手機的電筒向外照射，雖然我本來就猜測到會是這樣，但還是被眼前的景象嚇呆了。

「果然連條天橋都冇埋！格格格格格格格格格格格……」時叔在我旁邊喃喃自語。

我頹然地看看時叔，問：「時叔，雖然堂弟有同我講過入鬼門關嘅經歷，但係我唔記得咗你哋係點出返嚟，或者我哋用同一方法，就可以離開呢度？」

時叔一臉迷茫地道：「上次我哋係喺彩虹站搭列車入去，最後都係搭列車返彩虹站，但係今次……」

「今次，我哋爬閘門入嚟，但係你爬返出去，出面就得返紫霧。」我說。

「所以，今次個情況唔同上次。」他道。

鬼？

「諗真啲，到底係我哋入咗怪異嘅屯門公園，定係屯門公園以外嘅世界變得怪異？」我問。

其實我的思緒實在混亂得要命，也不知道提出的這個疑問對我們是否重要。

時叔抱著頭一臉苦惱，過了良久才道：「唔好諗咁多，呢度出唔到去，我哋都冇法子喫啦，去人工湖啦。」

我咬了咬下唇道：「我哋會唔會永遠出唔返去？」

時叔瞪了我一眼，語帶怒氣地道：「而家唔係諗呢樣嘢嘅時候，你女朋友失蹤，可能都係入咗呢個公園出唔返去！獅子山，係男人就提起精神，努力去搵返女朋友，然後諗辦法救我哋出去！」

「我……我……我可以救你哋出去？」我遲疑著。

「係！靠晒你！」他大力拍打我的肩膀。

第十五章

湖邊

門
屯
公
園

湖 邊

我深長地嘆了一口氣，時叔說的話不無道理，我沒可能任由阿晴失蹤而不顧，而時叔也是受我連累才來到這裡，我確是要對他負責任。

我無意識地揮了揮手道：「行啦。」

我們沿路來到一個大涼亭，旁邊就是人工湖，我認得這個地方，這就是我下午時見到有個五十多歲的女人在跟老伯跳辣身舞的地方。而此刻的涼亭中則是空無一人，非常寧靜，即使是在奇怪的迷霧籠罩下，也還是比下午那嘔心的光景好的多。

我邊走上前邊對時叔說：「之前我嚟嘅時候，呢度有大媽同老伯喺度跳舞㗎。」

時叔踏一踏腳，在我旁滑過：「哈哈，係唔係娜娜？」

我想起那個跳Hip-hop的老伯確是叫那老女人做「娜娜」，是以我不禁驚奇地問：「你識個女人？」

時叔理所當然地道：「娜娜喎！人人都識佢㗎啦！」

「點解呀？」我不明所以。

「呀，你個死仔，你老豆行為怪異你又唔理，連娜娜都唔識，到底你有冇上網？有冇睇新聞㗎？」時叔斜睨著我。

我愈聽愈糊塗，時叔見狀便道：「娜娜喺屯門公園跳辣身舞，網上有晒片，日日勁多老伯畀佢迷到頭暈暈，啲生果金都拎埋出嚟封利是畀佢，你唔係一啲都唔知啩？」

時叔說得對，我真是一點都不知道，我平時要不專注攢錢，要不就跟朋友、阿晴吃喝玩樂，對社會上發生的事確是完全沒有關心。按時叔這樣說，難道父親真是如他之前指「一定係去咗屯門公園睇大媽」，難道父親也是被娜娜迷住了？我想起父親跟我說不夠錢用，難道他把錢全拿去給娜娜了？那為何父親會自殺？難道是因為……情困？

我的心中有千百個疑問，一時間為之語塞，沒有回應時叔的問題，說到底，我對周遭事物真是太過漠不關心……

「唉，乜春都唔知……」他用手指篤我的太陽穴。

「時叔，我做人真係失敗……」我有點灰心。

「信我，而家知都唔遲。」他拍拍我說。

第十五章　湖　邊

「我老豆都死咗，如果唔係我當日唔關心佢，佢……」我突然哽咽起來。

「獅子山，你知唔知你最失敗係咩？」他自問自答：「你最失敗就係好易想放棄，嚟啦！我哋行去人工湖另一邊睇下啦！」

他說罷就向人工湖方向溜去，當我正想跟上去之際，一把聲音又在我後方響起：「唔——好——走——呀！」

我頓感毛骨悚然，相信時叔也一樣，但這次他沒有回頭細看，只是邊用力踏著地向前逃去邊大叫：「獅子山，快啲走呀！」

我跟著他狂奔，又奔了好一段路，時叔突然停了下來，這次我總算煞停了自己，沒有撞到他身上。

只見他看著前方，喉間發出「格格」的聲響。

我循他的目光看過去，只見人工湖的對岸有微弱的燈光閃爍著，有一些白色像是人形的東西在晃動。

「係咩嚟㗎？」我彎下身子，壓低聲音。

「白色嗰啲⋯⋯係唔係⋯⋯鬼？」時叔也半蹲著輕聲問。

「不⋯⋯不如我哋靜雞雞行近啲睇下？」我輕推了推時叔，示意要到前方一個花叢後面。

他點了點頭，但又猶豫了一會，然後慢慢手腳並用地向前溜，由於彎下身不便溜冰，他的前進速度變得很慢很慢。

「不如你換返鞋先⋯⋯」我說。

「我頭先都有咁諗，不過諗真啲一陣有事可以走快啲喎！」他頓了一頓：「放心啦！到時一定拉埋你走。」

第十六章

詭異

屯門
公園

詭異

我們緩慢地來到前方的花叢，這裡距離那堆白色人影又近了點，只見他們為數只有三個，在湖邊圍成了一圈，其中一個雙手各拿著發光的東西，應該是電筒或是蠟燭之類。

他們正圍著圈在轉，有點像土著的舞蹈。

「搞咩呀？係唔係邪教儀式嚟？」我喃喃自語。

「定係啲大媽鬼喺度練舞？」時叔問。

「大媽鬼？咩係大媽鬼？」

「你真係唔識㗎喎！」時叔瞪了我一眼，繼續道：「嗰時我同象仔入咗鬼門關，鬼門關入面除咗啲鬼之外，樣樣嘢都係白色，咁好明顯啲鬼係鍾意白色嘅啦，嗰幾隻重唔係鬼？」

我有點沒好氣地道：「咁你又知佢哋係大媽？」

「轉晒圈跳晒舞，又喺屯門公園喎，一定係大媽啦！」他說。

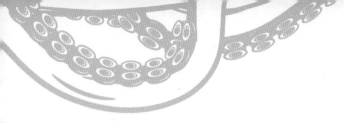

面對他這種毫無邏輯的推論，雖然時叔之前罵我跟堂弟一樣愚蠢，但我確實知道愚蠢的人一定是時叔本人，真不知堂弟當日是如何忍得了他的。

我沒有理會他，繼續自顧自伸脖子張望，赫然發現原來剛才我遺漏了一件事！

在那三個白衣人形包圍的中間，有一件物件！

從這個距離看，那件物件一動不動，顏色呈深色，可能是深灰、深藍之類。

「嗨，」我輕聲喚了時叔：「睇下佢哋好似圍住舊嘢。」

時叔瞇起眼看了一會才道：「睇唔到㗎。」

「你個盲佬，中間嗰舊深色嘢喎！」我道。

「你後生過我咁多，梗係睇到啦！行近啲啦，X！」他又手腳並用地半蹲著身子向前溜去。

這次我們離開花叢更遠了，我真擔心會被人發現。

而在前進時，我不時回頭看，生怕剛才在後面叫我們不

第十六章　　詭異

要走的東西會追趕上來。

我們就這樣緩慢地推進，又花了整整十分鐘，我的額角上盡是汗水，真不知是因為天氣熱而冒出的汗水，還是因心情緊張而生的冷汗。

十多分鐘後，我們終於來到另一花叢後，跟那些白衣人只有約三十米的距離。

而我此刻能肯定地說他們是人，是因為我終於看見，他們只是穿上了連著帽子的白色斗蓬，雖然看不清楚五官，但從體態身高上看來，應該是女性，而其中一個的雙手各拿著一個電筒。

「中間真係有啲嘢喎！」時叔瞇著眼道：「睇真啲，係一個人！」

這時我也留意到，那三個白衣女人圍著的似乎是一個男人，那人坐在地上，低頭正注視著手上的一張紙，而他的右手拿著一件東西在慢慢移動著，我大概可以猜到，他正在一張紙上書寫著甚麼。

「佢寫緊嘢喎。」時叔似乎也認為如此。

那三個女人不時彎身查看紙張，我和時叔都不明白他們在做甚麼，但由於他們衣著怪異，此刻過去問個究竟的話，可能會對我們構成危險，所以我們也只好安靜地在旁觀察。

過了良久，其中一個女人突然以略有口音的廣東話說：「寫咁長，叫你寫小說咩？」

那男人沒有開口回答，而是大力地抽了一下鼻子，我意識到他似乎在哭。

那三個白衣女人是甚麼人？那男人又是誰？他在寫甚麼？為甚麼他哭了？我和時叔都是滿腹疑團。

突然，剛才說話的那個女人大力搶去了男人手上的紙，大叫：「夠啦！」

她看了紙張一眼，又把紙張扔向男人，道：「唔好再寫，簽個名啦！」

即使跟男人有一段距離，仍可以看到他的右手在劇烈地顫抖，在紙上書寫著。

第十六章 　詭 異

不久，他停止了書寫，那女人就一手又把紙張奪去了。

在我和時叔完全摸不著頭腦之際，他們突然作出了一個舉動，眼前詭異的景像又令時叔的喉嚨間發出怪聲……不，原來「格格格格」的聲音不只從時叔喉間發出，我竟然也發出了這種怪聲。

我們互相掩著對方的嘴巴，屏息看著眼前的一切。

屯門
公園

第十七章

被自殺

屯門公園

第十七章　被自殺

只見那兩個手上沒有電筒的女人，突然挽起了男人的左右手臂，向人工湖走去，而那拿著電筒的女人就緊隨其後。

只是面對三個女人，那個男人竟然就像是一個打敗仗的士兵，雙腳軟弱無力地被拖行，不停地抽鼻子和啜泣。

本來我還奇怪為何他毫不反抗，但我突然發現了一件事。那三個女人正背向我們走動，走動期間，白色袍子揚了起來，在袍子下露出的竟然不是人類的腿，而是像章魚那樣有很多條觸手，觸手上有很多圓形的像是吸盤的東西！

我把目光向上看去，才發現剛才我一直以為是手的東西，其實也是沒有手指的條狀物，而此刻牠們竟是用吸盤把男人的手臂牢牢吸住！

不知是因為太驚嚇，還是因為時叔正用力按著我的嘴巴，我只感到一陣暈眩，但我仍儘力堅持，觀察著眼前的一切。

我感到時叔按著我的手在顫抖，而那個男人就這樣被拖到湖中心，然後那幾個白衣怪物就返回岸上，再轉身看著

那個慢慢沒頂的男人，直到水面一點氣泡、一點動靜都沒有。

　　我的思緒混亂至極，腦海卻又偏偏在紊亂中冒出了一個景象，是父親躺在殮房的畫面，當時我站在父親左面，看到他左面的手臂有幾個圓形的瘀痕，但我當時太傷心，以為父親可能是自殺時撞到或是甚麼，我根本沒有想過瘀痕會有其他成因。

　　想到這裡，我忍不住想大叫出來，但幸好時叔用力掩住了我的嘴巴，加上我剛才太驚訝以至喉嚨乾涸，並沒有發出多大的聲音，那些白衣怪物似乎也沒有察覺到在花叢後面，原來有兩對眼睛目睹了一切。

　　牠們確定了那男人完全溺斃後，才在湖邊放下剛才男人書寫的那張紙，用石頭壓下，然後慢慢離去。而幸好牠們離去的方向並不是我們這邊，不然後果真是不堪設想。

　　看著他們遠去，我本來暈眩的感覺也稍為紓緩，我和時叔掩著對方的手也慢慢鬆開，我甫鬆開手，時叔喉間的「格格」聲就傳了出來。

　　「時叔，佢……佢哋係咩嚟？」我結結巴巴地說。

被自殺

「格格格……」他沒有回應我。

「係唔係……鬼?」我追問。

我聽到時叔用力地呼了一口氣,然後又過了半晌才回答我:「我……我就未見過鬼係咁。」

我沉默不語,如果牠們不是鬼,那是甚麼?我又想起爸爸手臂上的瘀痕。

「時叔……」我欲言又止,是因為我也不想面對心裡的猜測。

時叔又重重地呼了一口氣,卻沒有回應我,而是四處張望,確定附近沒有白衣怪物後,便慢慢站直身子,向湖邊走去。

只見他在湖邊彎身移走石頭,拾起地上的紙張,然後一臉茫然地望向我。

我也鑽出花叢走過去,從時叔手上接過紙張細看,果然一如所料,那是一封遺書,一封由那個死去的男人親手寫的遺書。

「獅子山，你老豆……」時叔沒有說下去。

「係被頭先啲怪物殺死。」我卻把話接了下去，同時用力地捏著手上的遺書。

我的淚水在眼眶中亂轉，顫抖著聲音道：「我真係不孝，我冇關心過我老豆！佢死咗之後，明明我有見到佢手臂上嘅圓形瘀痕，但我就唔想煩唔想諗，以為佢係自殺……啱啱重要睇住啲怪物再殺多個人！」時叔緊抿著嘴唇，唏噓地搖了搖頭，又伸手拍了拍我的肩。

我忍不住抽泣起來，道：「阿晴可能都喺湖底，我真係好冇用，我係一個廢柴！」

時叔沒有開口，只是不住輕拍我的肩膀，直到我哭了不知多久，才稍為止住了淚水，卻禁不住頹然跌坐在地上，喃喃自語道：「時叔，我哋點算？」

我抬頭看他，只見他瞪大雙眼看著我身後不遠處，然後蹣跚地後退了兩步。

第十八章

冒

險

門
園
屯
公

第十八章　冒險

他只後退了兩步，又遲疑地停了下來。

我立即站起來回頭看，但我身後並沒有任何異樣。

「時叔，咩事呀？」我問。

他搖了搖頭，說：「可能我眼花啫，頭先嗰度好似有個人。」

我稍走近身後的花叢張望，但真的沒有看見甚麼。

時叔也神情疑惑地來到我旁邊，卻沒有說甚麼。

我試著振作自己的精神：「可能頭先有風吹郁啲樹啫，如果真係有白衫怪物發現我哋，我哋冇可能重生勾勾企喺度。」

時叔抿著嘴唇點頭，然後換了一個強作輕鬆的語調：「獅子山，今次你真係要多謝時叔，因為我搵到方法離開呢度！」

「真嘅？」我不禁一陣激動，但又遲疑了一下：「不過，時叔，你搵到出口嘅話，你自己走啦。」

「點解？你……你唔想走？」

我嘆了一口氣道：「如果我老豆……甚至阿晴都係被呢啲白衫怪物殺死，我唔可以就咁算，如果……」

「你想報仇？」時叔有點激動：「但係佢哋根本唔係人類，係唔知咩怪物嚟，你邊係佢哋對手？」

「我都唔知，但係我唔可以由佢哋咁樣害人，我過去做咗廢人咁耐，令老豆同阿晴……」我頓了一頓，再說：「總之我……我接受唔到再有受害者出現，我唔可以再對身邊發生嘅事漠不關心，所以，時叔你自己走啦！」

時叔抓抓自己的頭髮：「咁我其實都未走得住。」

「你走啦，唔使擔心我！」我拍拍他的肩膊。

「唔係呀，係我想走都冇得走住。」

「點解？出口喺邊？」

「所有出口都係出口。」時叔胸有成竹地說，但我卻一點都不明白。

第十八章　冒　險

　　他見我一臉茫然，便說：「我都話你同象仔一樣蠢。如果照我哋嘅推測，啱啱被自殺嗰個男人就會好似你老豆咁，喺聽朝被晨運客發現。」

　　他揚了揚眉，而我終於恍然大悟：「所以到咗聽朝，呢度一定會變返正常嘅屯門公園！」

　　時叔點點頭：「所以根本唔使搵出口，只要等就得。」

　　「嗯，時叔，咁你就搵個安全嘅地方匿埋，聽朝就可以走。」我說罷不禁紅了眼，因為我總算沒有連累時叔。

　　「獅子山，我話你知，你唔可以睇我唔起，我係一個有義氣嘅大叔，係一個勇敢嘅的士司機，當日我救你堂弟出鬼門關，今日我都絕對唔會一個人走，要走就同你一齊走！」

　　「時叔，你嘅意思係……」我一臉錯愕。

　　他拍一拍我：「嚟啦，我哋去睇下啲白衫怪物去咗邊，我哋一齊諗方法對付佢哋！」

　　「時叔，我……」

「X！行啦！咪咁L婆媽！」他說。

我沉默不語地跟著他，小心翼翼地向著剛才白衣怪物離去的大涼亭方向走去，走了不久，果然就聽到怪物說話的聲音。

我和時叔躲在大涼亭前方的暗角，見到剛才那三個白衣怪物站在涼亭中央。牠們的四肢雖然呈觸手狀，但頭部卻是正常的約三十歲的女性樣貌。

「大人講得好啱，男人真係垃圾一樣嘅生物。」其中一隻怪物說，令時叔和我不禁對望了一眼。

「嘿嘿嘿嘿，講得好啱呀，小紅！除咗錢之外，佢哋身上真係一啲有用嘅嘢都冇。」另一隻怪物說。

「至於啲女人，就真係好有用啦！呵呵呵呵！」第三隻怪物尖聲笑了起來。

「冇錯，我哋都要搵多啲女人返嚟畀大人呀，小鳳。」小紅說。

這時，小鳳拍了拍觸手，然後道：「好啦，小紅、媚媚，我

冒 險

哋要努力啲!為大人服務!」

「為大人服務!」小紅和媚媚應聲附和。

我跟時叔專心觀察著牠們,突然,媚媚尖聲驚叫,嚇了我們一跳。

然後,牠們三個竟都齊聲驚叫,並且原地不停跳躍。

小紅尖叫著:「救命呀!救命呀!」

小鳳也尖叫:「螞蟻呀!救命呀!」

屯門
公園

第十九章

裝備

門
屯
園
公

第十九章　裝　備

只見螞蟻在牠們觸手的吸盤上轉來轉去，好像遇上蜜糖一樣，嚇得牠們花容失色。

我跟時叔面面相覷，然後他就輕手輕腳地退後，並示意我跟著他。

那些怪物在身後發出難聽的驚叫，而我們則背向牠們退去，直到退回人工湖對面，跟大涼亭有一大段距離才停下。

「嘩！嗰三隻怪物咁樣衰咁恐怖，佢哋竟然怕細細隻嘅螞蟻！」時叔語調興奮地說。

「唔殊！你細聲啲啦！」我真怕會被怪物發現。

「好好好，」他邊說邊從腰包取出兩件東西，然後把其中一件塞到我手上道：「快啲做嘢。」

我攤開手一看，是一個香口珠的鐵盒，我輕搖著盒子，一點聲音都沒有，裡面應該空空如也。

時叔未等我發問就蹲了下來，我不禁問：「做咩呀？屙屎呀？」

「你都痴筋，嚟捉螞蟻啦！」他說。

我蹲下來，只見他瞇著眼，徒手在草叢捉了幾隻螞蟻放進他手上的盒內。

「乜你又會無啦啦有兩個空盒嘅？」我邊看他捉螞蟻邊問。

「我食開呢隻香口珠，食完諗住袋住個鐵盒，見有金屬回收箱就擺入去吖嘛，你要知道，我係一個支持環保嘅士司機。」他解釋，然後又道：「重問？一人捉滿一盒螞蟻做武器呀！」

我看著他盒中開始密密麻麻的蟻群，有些蟻又逃出來爬在他手上，不禁打了個冷顫道：「咁鬼核突！」

他斜瞪了我一眼道：「咁你想畀怪物嘅吸盤吸住，定係徒手捉螞蟻？勇敢啲啦，年輕人！」

我猶豫地伸手撥開一株植物，那泥土上爬滿了螞蟻。

我深呼吸了幾口氣，終於動手捉了一隻螞蟻，然後立即放進了盒中，然後又再吸一口氣，再捉另一隻螞蟻……

「做落係唔係冇想像中咁核突?」時叔問。

我無奈地答:「係嘅,所有嘢只要適應咗就冇知覺。」

我們快手快腳地捉著螞蟻,終於活捉了滿滿的兩盒。

「蟻就捉完,咁跟住點呀?」我問。

時叔又在腰包拿出了一件東西,在昏暗的公園裡亮出刀光,是的,那是一把小刀。

「哇,時叔,你做乜隨身帶武器?」我驚訝地問。

「我老婆要我袋住㗎,你知啦,我做夜更的士好危險㗎嘛,一陣有女色魔想劫色咪弊!」他說起來倒是一臉認真。

我翻了個白眼:「咁你打算殺死啲怪物?」

他聳聳肩:「唔係。」

我問:「咁你又捉蟻又拎刀,諗住搞乜?」

「我冇打算去殺死啲怪物,我打算借把刀畀你去殺死啲怪物。」他輕鬆地說。

「我？我……」我卻嚇得目瞪口呆。

「你要幫你老豆報仇呀！同埋要搵出阿晴嘅下落！」他一臉理所當然。

「係啫，但係……」而我也完全沒法反駁。

「獅子山，做人唔只唔可以好似你以前咁對周圍嘅事不聞不問，到要爭取公義時，一定要有勇氣！」他充滿正氣地說。

「咁……說話雖然係咁講，但把刀都係你袋返，你年紀大，有把刀仔傍身好啲。」我說。

他聽罷重新把小刀塞進刀套，然後放回腰包，道：「唔要就算！」

「唉……行啦。」我邁出腳步，可是心裡不禁擔心，這樣下去，我和時叔會不會也被自殺呢？

我們拖著步伐，花了點時間來到大涼亭，只見這時的大涼亭竟亮起了燈，放在路邊的音響設備正播著難聽的音樂，那旋律就是我下午到公園時聽見的其中一首，而那三

第十九章　裝 備

隻怪物正在隨著音樂，扭動腰肢，跳著火辣的舞蹈。

突然，我發現一件異常的事！

我伸手指了指三隻怪物的腿部，示意時叔留意。

時叔旋即張大了嘴巴，說不出任何話來，因為眼前正在跳舞的怪物，牠們的腿都竟變成了人類的腿，再看真點，連牠們的手都不再像章魚那樣，而是人類的手，這樣看來，牠們現在跟一般人完全無異。

「喂，佢哋變返人咁樣，會唔會唔驚螞蟻？」我小聲問時叔。

「吓，又真係唔知喎⋯⋯咁⋯⋯」時叔突然停止了說話，只見他我五官突然擠在一起，胸膛漲了起來，然後發出了一下頗大的聲響：「乞嚏！」

屯門
公園

第二十章

被發現

屯門公園

第二十章　被發現

「邊個？」小紅邊大叫邊向這邊走來。

「仆街！」我和時叔同步大叫，然後轉身逃跑。

時叔以滾軸溜冰鞋逃跑，很快已把我遠遠拋離，而小紅、小鳳和媚媚瞬間就已來到我身後。

「係兩個男人！」媚媚大叫。

媚媚搭著我肩膀，我突然靈機一觸，回頭硬擠上笑臉：「媚媚，畀你發現咗喙……」

牠猶豫了一下鬆開了手，身旁的小紅問：「你哋係邊個？點解夜媽媽嚟公園？」

我撫了撫自己的胸口，然後道：「我……同埋我朋友時叔，係你哋擁躉。」

小鳳打量著我：「擁躉？點解我冇見過你？」

我深深吸了一口氣：「係咁嘅……講起嚟都唔好意思，我哋通常都坐得比較遠去睇你哋表演，因為你哋喺我哋心目中都係女神，只可遠觀不可褻玩。」我運用了平時對客

人推銷時的口才，使出了渾身解數。

那個叫媚媚的嬌嗔了一聲：「靚仔哥哥，想迷死人咩？」

這時，本來走遠了的時叔突然走回來，大概他是看見我竟然跟三個怪物在和平對話，所以好生疑惑。

他的步伐停了在我身後不遠處，然後困惑地叫我：「獅子山。」

我當即回頭打了個眼色，然後嚷著：「呢個係我朋友時叔，我哋真係好鍾意睇你哋跳舞，真係又性感又索！」說完這句話，我的喉嚨好像有些甚麼要湧出來，我想吐。

時叔也意會到我的策略，點頭道：「啊！媚媚、小紅、小鳳，你哋真係好靚呀！格格格格……」雖然他的臉上擠出了一副好色的表情，但他喉嚨間的怪聲顯示他害怕得要命。

小紅性感地嘟起嘴唇，扭著腰走近時叔，然後用胸脯貼著時叔的身體：「時哥哥，使咩咁緊張？以後要坐埋啲睇我哋表演，同埋記得打賞利是啊！」

時叔猛力吞了一下口水，然後用顫抖的雙手抱著小紅的

被發現

腰;與此同時,媚媚也走近我,把整個身體靠在我身上,嬌嗲地道:「咪係囉,做咩咁怕羞㗎?」

我裝作陶醉的表情,可是卻想吐得要命,看著牠那脂肪過盛的臉容,一張紅唇加上比厚多士還厚的妝容,即使不去想牠其實是擁有觸手和吸盤的怪物,也是沒法被牠吸引。

「咪住先。」小鳳突然以極冷靜的語調說。

「小鳳,做咩呀?」時叔以陰陽怪氣的聲調問,我想他已快要昏倒。

小鳳瞇起雙眼看看我們,眼光像刀一樣鋒利,然後道:「就算係我哋擁躉,我哋表演都係喺日頭,你哋冇理由夜媽媽出現喺公園,而且而家嘅公園……」

牠這麼一說,媚媚也立即用戒備的目光看我,我連忙解釋:「係咁嘅,因為我晏晝嚟過公園睇你哋表演,但係好似唔小心跌咗銀包,到頭先同時叔食晚飯時先發現,唉!入面有成萬蚊㗎!所以食完飯,時叔咪陪我爬入嚟搵銀包囉!」

幸好我平時推銷基金時訓練有素，即使是把客人的錢蝕光，在面對疑問甚至質問時，我都總是能用三寸不爛之舌起死回生。

小紅聽罷一臉欣賞地看著時叔：「時哥哥對朋友真係好，我最鍾意好似你咁樣嘅男人。」

「咳！」媚媚大力乾咳了一聲，然後問：「咁你哋入咗公園幾耐，頭先喺花叢後面做咩？」

我幾乎不用思考就說：「唉！講起就嬲！入咗嚟五分鐘都冇，聽到有音樂聲先發現你哋咁勤力練緊舞！女神跳舞，我哋梗係唔敢打擾，所以咪匿埋欣賞，點知咁快畀你哋發現！」

小鳳抱緊我的腰道：「嘖！好彩唔係沖緊涼，唔係咪畀你哋睇蝕晒？」

「哈哈，不過，點解你哋練舞時唔會好似表演時著得咁性感，畀我哋大飽眼福都好呀！」我邊說邊深深地佩服自己的無恥，我果然是能令富婆芭芭拉簽單的傑出經紀。

媚媚依舊瞇著雙眼，塗著歪斜口紅的嘴唇突然一笑，然

第二十章　被發現

後輕柔地道：「係咁，就等我哋而家為你哋表演。」

　　話音剛落，牠們三個就霍地脫下白色的袍子，只餘下裡面包著臃腫軀體的背心短裙，然後向我們擠著眉眼，翹翹食指示意我們跟牠們走到大涼亭中。

第二十一章

突變

門園
屯公

第二十一章　突變

　　我和時叔如坐針氈地坐在大涼亭旁的椅子，小紅彎腰按了按音響，讓剛才的歌重新播放。

　　然後，牠們三個就扭著腰肢走到涼亭中心，開始著勁歌熱舞。

　　我們被迫觀賞這一幕噁心的演出，牠們的舞姿火辣，還不時掀起白色短裙露出內褲，令我們都幾乎要吐出來，更何況我們都清楚知道眼前是三隻有觸手和吸盤的怪物呢。

　　我抿著嘴唇，盡量不動嘴巴，輕聲地跟時叔說：「喂，咁我哋點呀？一直睇佢哋跳舞？」

　　時叔也壓低聲線道：「睇定啲先啦！」

　　只見小紅扭動臀部走近時叔，然後伸手輕撫他的耳朵，時叔整個人繃緊著，臉上卻強擠出一臉享受的神情，要是小紅是一個大媽而不是怪物的話，這情形確實會令我放聲嘲笑，但是我此刻當然沒法笑得出來。

　　「時哥哥，我靚唔靚？」牠風騷地問。

　　「靚……好靚……」時叔瞇起雙眼回應。

　　我看著小紅一雙手在時叔身上遊走，在想如果牠的手突然變成觸手的話，時叔應立即就會沒命，是以我不禁伸手進了褲袋握著那個放滿了螞蟻的盒子。

　　「唉呀！靚仔哥哥，係唔係想畀利是？」媚媚的觀察力真強，牠邊說邊撲了過來。

　　「我……」我仍然握著盒子，道：「我未搵返銀包呀，唔好意思，不過時哥哥會畀利是㗎啦！」

　　牠聽罷立即變得木無表情，但不消一秒，又擠上了笑臉，別過臉去湊近時叔；與此同時，小鳳也走了過來，瘋狂地向時叔拋媚眼。

　　時叔在百忙中不忘狠狠地瞪了我一眼，然後從腰包取了幾張紙幣。

　　「多謝時哥哥！」媚媚一把奪去時叔手上的錢。

　　「啊！我呢？」小鳳大力擠進來，把小紅擠了出去。

　　時叔一臉苦惱，正想再從腰包拿錢出來之際，小紅突然撞進來按住了他的手，並回頭向小鳳、媚媚道：「你哋唔好

突 變

咁過份啦!」

小鳳、媚媚看來非常錯愕,齊聲道:「小紅,你⋯⋯」

「我⋯⋯」小紅猶豫地看了看牠們,又重新看看時叔。

「啊,小紅,唔通你⋯⋯」小鳳問。

媚媚大力搖動小紅的手:「你清醒啲,記住我哋要啲七!」

「我⋯⋯但係時哥哥佢⋯⋯」小紅溫柔地說。

我和時叔根本不知道牠們在說甚麼,只知牠們之間似乎有一些矛盾發生了。

頃刻間,我們都沉默下來,但媚媚卻是一臉憤怒地看著低下頭的小紅,小鳳則是搖頭嘆氣:「你咁樣做,大人一定唔會原諒我哋。」

時間不知過了多久,我終於忍不住乾笑了幾聲道:「哈!哈!哈!不如三位美女再跳多隻舞,好索好正呀!」

「格格格⋯⋯啊⋯⋯係囉,我重有錢喫,我再界,人人有

份!」時叔道。

「時哥哥,我哋之間唔好只係講錢。」小紅突然情深地看著時叔,事情果然變得非常不妥。

「小紅,你清醒啲啦!」小鳳大叫。

媚媚即時語調冷漠地道:「小紅,為咗要令你清醒返,為咗令大人安心,我只可以咁做……」語音剛落,只見牠的手腳突然都變成了觸手。

雖時我和時叔早就看過牠們的真面目,但我們仍不禁驚叫了出來:「啊啊啊格格格啊啊啊格格格啊啊啊格格格啊啊啊格格格……」

就在我們還未來得及有任何行動之際,媚媚就用右邊的觸手圍著了時叔的腰,把他整個人凌空抓起。

「啊!救命呀!」時叔不停掙扎,但明顯地沒法擺脫。

我見狀立即從褲袋取出那個盒子,可時就在我想打開盒子把螞蟻都放出來時,竟然發生了一件令我震驚的事。

第二十三章

混

戰

屯門公園

第二十二章　混　戰

　　小紅的四肢突然也變成了觸手，然後牠的下肢一把捲住了媚媚，另外一條觸手則直插進媚媚的鼻孔。

　　「啊！」媚媚發出一下慘叫，只見牠的鼻孔噴出一陣紫氣，然後不消一分鐘，牠抓著時叔的觸手就變得軟弱無力，不，正確來說，是牠的整個身體都軟了下來，然後伏了在地上，而同時，時叔也在一聲驚叫中跌倒在地上。

　　「小紅，你……」在小鳳叫嚷期間，牠的四肢也變成了觸手。

　　我想過去扶起時叔一起逃跑，可是卻被小鳳的手擋住。

　　「小鳳，我……我……」小紅神情悲傷地看看媚媚，然後抿了抿下唇。

　　「小紅，你竟然為咗個臭男人殺咗媚媚？」小鳳突然咆哮起來。

　　甚麼？媚媚這樣被插插鼻孔就死了？還有牠說甚麼「為咗個臭男人」？「臭男人」就是時叔？那即是小紅牠對時叔……

「小鳳，你都知道我好掛住我老公，而時哥哥把聲同有義氣嘅性格都好似佢，所以我……」小紅羞澀地凝望著時叔。

牠們的對話令我目瞪口呆，這樣真是出大事了！我終於搞清楚情況，就是小紅竟然對時叔一見鍾情，而且更為了「時哥哥」而殺死了同伴。

我瞄一瞄仍坐在地上的時叔，他聽完小紅的說話之後，面色比剛才被媚媚捉住時更鐵青。

但轉念一想，這不失為一件好事，至少我們甚麼都沒有做過，就已少了一個敵人。

時叔惶恐地看看我，我突然腦海中冒出了一個不知是好是壞的主意，我面向時叔指了指小紅，然後做了一個心形的手勢，繼而指了指時叔。

時叔由惶恐變成了用匪夷所思的眼神看著我，更慢慢地搖了搖頭，偷偷地做出一副想吐的表情。

我緊皺著眉頭，做了一個堅定的眼神，再用口形向他說了一聲：「加油！」

第二十二章

混 戰

他似乎仍十分猶豫，就在這時，小鳳突然怒吼了一聲，觸手就向時叔揮過去。

「啊！」時叔驚叫著，但小鳳並沒有打到他，因為小紅用觸手擋住了。

「小紅，你唔可以一錯再錯！我哋唔應該同男人講感情，一直以嚟，都係因為要喺佢哋身上攞錢，我哋先會對佢哋好！」小鳳怒叫。

「唔係！小鳳，我哋曾經都享受過愛情，我哋唔係只係貪錢㗎！」小紅十分激動。

「醒下啦，嗰啲已經係300年前嘅事啦，由我哋老公拋棄我哋嗰日開始，我哋就唔會再有愛情！」小鳳似乎加大了觸手的力度，令小紅差點跌倒。

我可是愈聽愈糊塗，甚麼300年前？即是牠們不僅不是人類，而且還已經活了超過300年？

當我還在疑惑之際，小紅亦同時被小鳳推得跌在時叔前面，這時，時叔似乎終於想通了，他努力站起來並扶起小紅，關切地問：「小紅，你冇事嘛？」

小紅嫵媚地凝望時叔，輕聲地叫喚：「時哥哥……」

「哼！賤男人，唔好再迷惑小紅啦！」小鳳大喝一聲，用力把小紅推開，然後用觸手上的吸盤吸住了時叔的臉。

「小鳳！唔好呀！時哥哥會窒息㗎！」小紅大叫道。

時叔的雙腳不停掙扎，雙手則用力想拉開臉上的吸盤，我見狀立即跳起撲到小鳳背上，用力握緊牠的脖子。

「放開時叔呀！」我狂叫著，但不消半秒，我的怒叫就變成了慘叫，因為小鳳的另外兩條觸手把我整個人捲了起來，高舉在半空中。

現在時叔生死命懸一線，我又被緊緊抓著，這樣下去也必死無疑，而我們唯一的生機就是小紅。

「小紅！時哥哥就嚟死啦！佢好愛你㗎！」我大叫。

本來跌在地上的小紅聽到我的呼喊後，猛地站了起來，撲向小鳳。

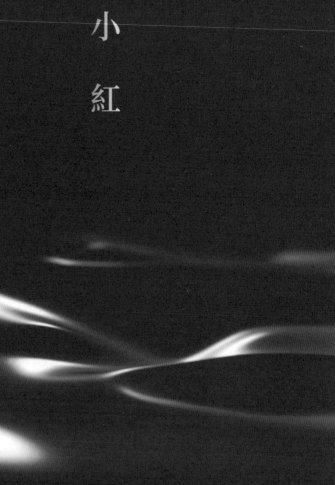

第二十三章

小紅

屯門公園

小 紅

　　小紅要不出手，但一出手可真是「快、狠、準」，只見牠的觸手在電光火石之間插向小鳳的鼻孔，本來被緊緊捲著的我隨即摔倒了在地上。

　　而就在我從地上爬起來之際，小鳳也倒下在我身旁，嚇得我驚叫了一聲，因為此刻的小鳳不但像剛才媚媚死時般從鼻孔噴出紫氣，而且由於我是近距離地看著牠，牠的容貌也著實醜得令我震驚。

　　在我嚇得不知所措之際，小紅柔聲地說：「時哥哥，快啲起身先啦。」

　　我抬頭見到時叔一臉頭昏腦漲的樣子，靠著小紅站了起來。

　　我立即跑到時叔身邊扶著他，並問：「時叔，你冇事嘛？」

　　「咳咳咳……差啲死……」他大力地咳了幾聲，然後大聲地說。

　　「時哥哥……」小紅關切地看著時叔，但我卻下意識地把時叔拉往我的方向，並用戒備的眼神打量牠。

小紅見狀，難過地低下了頭，就在那瞬間，牠的觸手又變回了人類的四肢。

時叔皺了皺眉頭，輕輕移開了我扶著他的手，然後看著小紅誠懇地道：「小紅，多謝你救咗我哋，如果唔係你，我哋已經死咗。」

時叔真摯地看著小紅，不過這並不奇怪，因為小紅的確是我們得救命恩人，是以我也禮貌地道：「嗯，多謝你。」

小紅看看躺在地上的媚媚和小鳳，一臉若有所思的樣子，卻沒有開口說甚麼。

我見狀即在時叔耳邊輕聲說：「此地不宜久留，同呢個小紅離得愈遠愈安全。」

時叔瞪了我一眼，竟然高聲道：「獅子山，你份人雖然同象仔一樣蠢，但係象仔就比你有良心得多！」

「時叔，你點可以⋯⋯」我驚訝地看著他，卻被他打斷了說話。

「頭先聽小紅講，佢都係一個掛住自己老公嘅可憐人！

小 紅

而且佢救咗我哋，唔通你覺得佢會害我哋？」時叔正氣凜然地道。

我壓低聲音，幾乎不張開嘴巴地道：「但係佢係怪物……」

小紅抿了抿嘴唇，然後看著我道：「我都唔想係怪物，我本身都係人嚟……」

「你本身係人？」我想起牠們的觸手，不禁打了個冷顫。

時叔一臉關切地看著小紅，更用手扶了扶小紅的肩膀道：「到底你哋發生咗咩事？點解你哋會變成咁？」

看見時叔擔心的神態，我不禁懷疑他是不是被小紅迷住了，難道他真的愛上了小紅？

幸好時叔緊接著說：「話晒你救咗我哋，我哋有咩可以幫返你？」

本來我以為可以鬆一口氣，但小紅聽罷竟然羞澀地道：「我……我只係想同時哥哥一齊。」

「吓?」我大叫了出來,而時叔也似乎不自覺地退後了兩步道:「咁……咁都要了解下你先,我唔係啲咁隨便嘅人。」

「時哥哥,你想了解我多啲?」

時叔誠懇地點點頭道:「係,我好想知你身上發生過咩事,令你變成咁?」

小紅聽罷突然淚眼汪汪,還未開始說話就啜泣起來。

本來我想起牠們的觸手也會覺得可怖,可是看見牠哭泣的樣子,竟都不禁心生同情。

牠哭了很久,才抽著鼻子,一字一句地道:「時哥哥,其實我已經好老,已經346歲。」

我和時叔張大嘴巴,雖然之前從牠和小鳳的對話中,已知道牠們都已活了300多年,可是現在聽起來,仍是十分震驚。

小紅繼續道:「嗯……我出生時國泰民安,當時皇上愛民如子,我同老爺……即係老公,本來生活得好幸福。」

第二十四章

經

歷

屯門公園

第二十四章　經　歷

「皇上……」聽見小紅的說話，我不禁陷入了沉思，竭力從腦海中搜尋初中學過的歷史知識。

時叔大力拍打我的頭，然後道：「300年前即係康熙呀！」

「哇！乜你歷史咁勁嘅？」我驚訝地答。

他得意地說：「梗係，我係一個鍾意睇歷史書嘅的士佬！」

小紅道：「時哥哥，你真係好叻。」

「使乜講？」時叔一臉自豪。

我真有點受不了他們，便道：「可唔可以快啲入正題？小紅姨你發生咩事變成咁？」

小紅瞪了我一眼，然後才把她的身世娓娓道來。

小紅形容自己是生於最好的時代，當時的皇帝康熙愛民如子，她居住在一個沿海的村莊，小紅的丈夫鄭放正是一個屠夫，賺錢不算多，不過小紅也懂一些針黹，經常繡一

些小袋子、衣物等去賣，兩口子夠糊口便知足，生活得算是十分幸福。

鄭放正比小紅年長十多年，對小紅不錯，出事前他們已成親七年，卻還未有兒女，小紅心裡有些著急，不過丈夫總是安慰說慢慢來。

小紅有兩個同村好姐姐，就是小鳳和媚媚，她們分別嫁給了一個魚販和一個木匠。

他們居住的小鎮本來民風純樸，但是有一天，鎮上來了一個大老闆，開了一間門面金碧輝煌的店。開張那天，不但放炮仗，還有舞獅，門外圍了一圈又一圈看熱鬧的人。

小紅跟兩個姐姐買菜路過，眼見這麼多人，又打鑼打鼓，當然湊過去看看，只見舞獅正表演採青，一個油脂滿面、衣著光鮮的大老闆站在門前。而那個寬闊的門面的另一邊，有三個美艷動人的女人在跳著小紅從來沒有見過的舞蹈，而且她們的衣服還袒胸露乳，十分奇怪。

在場的大部分人都沒有出過遠門，所以從沒有見過這種店舖，雖然覺得那幾個跳舞的女人這樣穿不太好，卻又好奇這間店到底是賣甚麼。

經 歷

「小鳳，你知道這是甚麼店嗎？」小紅碰了碰小鳳的手肘問。

「不知道，你看那些姑娘穿成這樣，真是怪怪的，我們就別看吧！」小鳳說。

「嘿！」媚媚突然冷笑了一聲，兩個妹妹立即以不解的眼神看她。

媚媚一臉不屑地道：「這種店我聽我的嬸嬸說過，你們記得我叔叔是去不同地方做買賣的嗎？」

兩個妹妹點點頭。

「後來我叔叔就在附近那個芬源鎮見到這種店，叫作妓院，裡面全都是妖婦，叔叔不只每次花太量銀兩跟她們做那些不知羞恥的事，事後還買甚麼胭脂水粉、髮簪那些送給她們。」媚媚很替嬸嬸不值。

「想不到你叔叔這麼過份！」小鳳說。

「本來男人三妻四妾也不是問題，不過只限大富人家呢！」小紅皺著眉頭，心想竟然有些女人做這種事。

「而且即使娶妾，好歹也是妾侍，不是那種不三不四的女人呢！」小鳳補充道。

她們看到鎮上有幾個認識的男人，都在色謎謎地看著跳舞的女人。

「哼！那些臭男人，都像我叔叔一樣！」媚媚道。

「看來，我們的村裡要吹起歪風了！」小紅搖搖頭。

小鳳笑了笑：「你家老爺為人老實，怎樣的歪風都吹不到你家呢？」

小紅點點頭：「那也是，我們的老爺們怎會做這種有傷風化之事？」

「唉，縱使如此，有很多女人大概會落得跟我嬸嬸一樣的結局，老爺把錢花光，心也不再在家裡，那真是淒涼至極，做女人真是難真是苦啊！」

第二十五章

家破

屯門公園

第二十五章 家破

「我同老公嘅感情本來好好，雖然唔係好有錢，但有得住有得食，我都好滿足。加上同小鳳、媚媚住得好近，大家互相照應，我哋有時會一齊去買菜，然後……」小紅沉醉在回憶中，令我不禁有點不耐煩，是以我打斷了牠的說話道：「於是，你老公就去咗幫襯妓院？」

「佢去幫襯我都算啦，佢竟然……」小紅說起來淚眼汪汪，害我都不敢再打擾。

原來當妓院開張不久，鎮上的男人都像被鬼迷般跑去把金錢雙手奉上，就為了一親香澤。小紅聽過一個例子，就是鎮上一個菜販，他平時喜歡賭博，把娘子的嫁妝都輸光，但最近他竟轉死性地連賭博都戒了，原來時間都花了在妓院的女人身上，本來戒賭是好事，但卻又變了沉迷女色，說到底還是壞事一宗。

不要以為妓院只招待有錢人，有錢人可以跟頂級的姑娘在廂房共聚，一般窮男人進去花少許銀兩的話，也可以獲另一些級數的姑娘在大廳陪吃陪酒。這條本來民風純樸的小村莊，這些本來老老實實的男人，一旦為他們開啟了誘惑之門，真是擋也擋不住。

　　小紅倆口子本來感情很好，可是結婚多年還未有兒女，鄭放正嘴巴說著不介意，但其實心中多少為了此事煩惱。那個年代本來三妻四妾很平常，但鄭放正不是有錢人，沒有這個能力；雖說無後是休妻的合理原因，但鄭放正又覺得自己這把年紀，休妻後也未必有姑娘肯下嫁了，到時反變孤家寡人就更慘了。

　　在妓院開張後，小鳳和媚媚的兩位老爺也拉著鄭放正去見識一番，鄭放正本來是拒絕的，但經遊說下還是去了。

　　「唉，通常呢啲話陪朋友去嘅，最後都係沉船沉得最勁嗰個。」我禁不住插嘴。

　　小紅和時叔同時瞪了我一眼，然後小紅的思緒又再次回到300多年前。

　　鄭放正他們總是三個男人一起去，所以花姑娘們也打趣說他們是三劍俠，即使他們其貌不揚，但起了威風的外號後，倒是令人容易記住。

　　三個男人由開始時幾天去一次妓院，變成了天天都去，鄭放正基本上都沒有拿錢回家，小紅僅靠自己賣自製小物來賺取微薄的金錢，當然就變得入不敷支，有一個晚上，

第二十五章　家破

她自結婚以來第一次對丈夫表達自己的憤怒。

「我們都沒有銀兩了，你以為我不知道你上妓院嗎？」她顫抖著聲線問。

鄭放正剛從妓院回來，沒有看她一眼，回答道：「對，都沒有銀兩了，真慶幸我們沒有孩子呢！」

他一句話狠狠刺到小紅的痛處，小紅不禁淚目道：「那你是怪我？」

鄭放正沒有回應，逕自更衣後就躺在床上閉上雙眼。

小紅嘆了一口氣，眼淚只能往心裡流。

這時，時叔終於忍不住插話：「哇！你都好忍得㗎！」

小紅搖了搖頭：「時哥哥，以前嘅女人要三從四德、溫柔體貼，邊似得而家嘅女人咁幸福。」

時叔向小紅連聲稱是，她又繼續把故事說下去。

那天鄭放正去睡後，小紅也上床就寢，夫妻二人躺在床上，卻像是陌生人一樣沉默不語。

　　小紅哭著哭著就睡了，第二天醒來，鄭放正卻不見了，小紅著急地跑出家門去找丈夫，怎料經過小鳳家門前，卻見她坐在地上大哭。

第二十六章

棄婦

屯門公園

棄婦

原來小鳳也在一覺醒來時，發現丈夫已離開了家門，她打開衣箱，發現丈夫連衣服都拿走了；而且，他們習慣把銀兩放在衣箱頂部，小鳳查看一眼，驚覺所有銀兩都不見了。

她們立即跑到媚媚家大力拍門，媚媚才半睡半醒地醒來，打開門的一剎，小鳳立即就見到媚媚只有一人在家，便緊張地問：「你家老爺不在？」

媚媚剛才一直以為丈夫就在床上熟睡中，此刻才留意到整間屋就只有自己一個。

小鳳連忙把自己的遭遇告訴媚媚，然後媚媚也發現，丈夫的衣物和家財都不見了！

她們在家門前哭哭啼啼的，實在不知如何是好，這時媚媚的嬸嬸聽見其他村民所說，便過來看望她們。

「男人的心走了，叫也叫不回呢！」嬸嬸悲傷地說。

本來這一句悲觀的說話，就是要她們都認命，可是不知為何，反而令媚媚更不甘心，猛地站起嚷：「我要找他們！」

「你知道他們去哪裡了？」小紅問。

「你真笨，他們一定是去了妓院！」媚媚說。

小鳳聽罷，也立即站了起來道：「你說得對！」

小鳳和媚媚立即動身，往妓院方向走去，小紅和嬌嬌也緊跟在後，小紅卻還是不解地問：「他們要把銀兩都拿去光顧妓院嗎？要這麼昂貴嗎？」

媚媚也沒有回頭看她一眼，只是一邊快步走一邊道：「去到就知道了！」

她們一行四人終於來到妓院，可是甫走到門前，就被兩個大漢攔了下來，說不歡迎她們。

「為甚麼不歡迎我們？」媚媚大聲問。

大漢笑了笑：「難道你們不知道這是甚麼地方嗎？怎會歡迎女客？」

媚媚又道：「我們來找我家老爺，難道也要你批准？這一定是黑店！」

第二十六章　棄 婦

　　兩個大漢瞪了她一眼，也懶得理她，只是繼續用身體攔住大門，道：「不准就是不准，回家等你們的男人吧！」

　　嬸嬸這時從衣袖裡拿出幾文錢，想塞到大漢手中：「就通容一下，求求你！」

　　大漢一手拿了錢，另一手卻大力把嬸嬸推倒在地上。

　　「你……」媚媚想罵她，但見到他魁梧的身形，最後還是把說話都吞進肚子裡去。

　　小紅、小鳳趕緊去扶起嬸嬸，這時有兩個男人從妓院走出來，在她們身邊經過。

　　兩個男人一高一矮，都是一身酒氣，高的那個道：「那個甚麼鄭放正……和他兩個朋友原來這麼富有嗎？怎麼突然就把小翠、環兒和絹兒都贖走了呢？」

　　矮的那個顯然酒氣更盛，腳步都不穩地走著，他說：「想不到我不能再見到絹兒啊！我聽見他們帶著三個美女去海邊坐船了，不知要去哪裡生活。」

　　高的那個就說：「算了吧！看不到絹兒，我們還有鈴兒、

小香啊!」

　　兩個男人就這樣走遠,遺下小紅等四人呆若木雞地站在原處。

　　過了半晌,嬸嬸突然大力拍了媚媚一下,道:「站在這也沒用,我們快去海邊,看可不可以追上他們!」

　　她們三人才如夢初醒,跟著嬸嬸向海邊走去,一路上,她們都不禁哭了出來,尤其是古代的女人都出嫁從夫,哪個女人能接受被拋棄,而且丈夫還投進妓女的懷抱,把所有錢拿去跟妓女雙宿雙棲呢?

　　小鳳的丈夫是魚販,自是有門路可以乘船出海,但當她們來到海邊那個小小的碼頭,這兒已是空無一人,很明顯她們的枕邊人都已遠去,不會再回來。

　　三人蹲下來向著海水大聲痛哭,任嬸嬸怎樣以過來人身份去安慰也沒有作用。

　　媚媚看著自己滴進海水中的淚珠,心生出一個念頭。

第二十七章

海神

門

園

屯

公

海 神

媚媚看著因淚水滴落已生出的漣漪，又回望了小紅等三人，然後不發一聲就聳身一跳，身體直墮海中。

「媚媚！」眾人嚇得驚叫了起來，她們幾個都不諳泳術，但嬙嬙幾乎是沒有考慮就跟著跳下去，想把媚媚救起。

「嬙嬙！」小紅和小鳳只懂在海邊叫著救命，可是附近根本沒有人經過。

她們看著嬙嬙和媚媚二人快要沒頂，小鳳叫了一聲：「我來救你們！」說罷就想往下跳，可是海面卻突然刮起一陣大浪，令小鳳又猶豫了一下。

隨著大浪湧過來，嬙嬙被捲進了漩渦，媚媚卻被沖了上岸。

「媚媚！」小紅慌忙跪下來又拍又推著媚媚，過了良久，媚媚吐了一口水，才慢慢醒過來。

「小紅，你為何要救我？」媚媚虛弱地問。

小紅哭著道：「我沒有救你，是嬙嬙，但是她……」

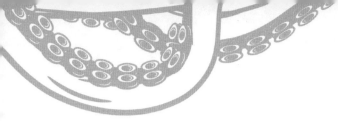

媚媚皺了皺眉然後坐起來:「嬸嬸?」

她環顧四周,一臉迷茫:「我記起了,剛才在海中時,我好像見到嬸嬸拉住我,但她現在……」

小紅和小媚垂下頭抽泣,媚媚也意會到發生了甚麼事,卻一時沒法接受,過了良久才望著大海大哭起來。

可是就在她大哭時,海面又刮起了大浪,嬸嬸的身影突然浮出在海面,然後被沖了上岸。

「嬸嬸!」媚媚撲向前,可是嬸嬸面色蒼白,顯然已經是一個死人了。

三個好姐妹圍著嬸嬸的屍首哭哭啼啼,媚媚更是自責不已。

就在這時,一把聲音在她們旁邊說:「真是可憐的女人啊!」

三人奇怪地對望了一眼,確認不是對方在說話,可是四周也沒有人,剛才的聲音是從哪裡來的呢?

第二十七章　海 神

「我在這裡呢！」突然，一個圓圓的頭從海中冒出來，較為近海邊的小紅即時尖叫了出來，因為她清楚看到，在說話的不是人，是一隻很大的章魚。

「妖怪啊！」媚媚也緊接驚呼起來。

「我不是妖怪，是『海神』，是我救你的呢！」章魚說。

「海神？」小紅問。

小鳳想起剛才海中突然刮起大浪，然後媚媚就被沖上了岸，便大力地點頭：「對啊，剛才真是有一陣怪浪把媚媚救回岸上呢！」

「真的？」媚媚問。

這時小紅也大力點頭：「對啊！我也看到！」

媚媚聽罷立即跪了下來，激動地道：「多謝海神！」

章魚慢慢走上岸，這時三人終於見到牠的全貌，確是跟章魚無異，但是體型卻是非常大，足有三個成年男人那麼大。

「不用謝，你們的事我都知道了，被那些男人欺負，真是太可憐。」

三人聽到牠竟然都知道她們的事，自然更確信牠就是海神。

媚媚仍跪在地上，哀求章魚道：「海神，你可不可以救救我嬸嬸？她是好人，她是因為救我才死的！」

章魚道：「不是不可以，但是……」

三人聽罷連聲道：「只要可以救回嬸嬸，我們做牛做馬都可以！」

章魚搖搖頭：「你嬸嬸已經死了，但靈魂仍在肉身內，只要我進入她的身體去喚醒她，她就可以復活。」

「那求海神你行個好心，幫幫她！」三人跪了下來。

「可是，我進去之後就沒法出來，我要跟她共用這個身體。」章魚說。

三人聽罷猶豫著，章魚說：「我也不是不想幫她，但是我

海 神

在海中有很多隨從，一旦要以人類身份生活，即使我有永生的能力，卻只可以孤身一人，我的隨從可沒法為追隨我而到陸地生活啊。」牠頓了一頓，道：「只不過，要你們做牛做馬我也不忍心，不如你們做我的好姐妹吧？而且我有方法幫你們狠狠懲罰那些負心的男人！」

屯門公園

第二十八章

姐妹

屯門公園

第二十八章　姐　妹

我聽到這裡就大致猜到事情會如何發展了，是以我問小紅：「於是你哋成為咗佢好姐妹後，你哋就變成咗半人半章魚嘅……怪物？」

小紅眼眶冒出一泡淚，又開始把往事說出來。

原來她們三人想救嬸嬸，小鳳和媚媚又聽說可以懲罰那些負心的男人，便答應章魚說可以做牠的好姐妹。

章魚聽罷，顯得十分高興，便從嬸嬸屍體的嘴巴鑽了進去，雖然牠的身體龐大，但竟然都能整個進入了嬸嬸的體內。

眼前的情形雖然看來十分噁心，但是三人一心只想嬸嬸復活，也沒有其他想法了。

不久，嬸嬸果然張開了雙眼，然後精神奕奕地坐了起來道：「媚媚！你沒有事就好了！」

當下四人抱在一起大哭，嬸嬸突然變了聲調道：「今天起，我跟你們的嬸嬸共用一個身體。不過我見到嬸嬸本來壽命是八十歲，到那天時，嬸嬸的靈魂還是會死去，可是到時我還是不能出來，嬸嬸的身體就由我繼續使用。」

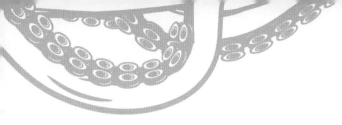

　　媚媚等人也淚流披面，深深相信章魚就是海神，而嬸嬸是被海神救活，於是紛紛叩頭致謝。

　　然後，海神到海邊用手盛了一些海水，說：「你們要做我的好姐妹，來！快喝一口海水，你們都可以延長生命，追隨我左右。」

　　聽到這裡，我不禁生出疑問：「你哋有冇諗過，嬸嬸根本冇復活過？一切都係隻章魚假扮？」

　　小紅目瞪口呆地道：「我……我又真係冇諗過，我……我信大人唔會呃我哋。」

　　「係咁，嬸嬸有冇間中用個肉身同你哋傾偈？」我追問。

　　「咁又好少，因為大人話嬸嬸自從死而復生後，精神唔係幾好，所以好多時都會喺肉身入面休息。」

　　我揚了揚眉，心想眼前這個女人真是單純又愚蠢，不用證據我都可以肯定，嬸嬸應該早在海中死去了，而章魚則用詭計入侵了她的肉身。

　　時叔嘆了口氣，又問：「咁隻嘢話你哋可以延長生命，就

第二十八章　姐　妹

延長咗成300年？」

小紅點點頭，我又禁不住問：「於是你哋飲完啲海水，就……就可以隨時將手腳變成觸手？」

'

小紅又點點頭道：「其實都幾好，至少變成咁之後，咁多年嚟，我哋都唔再畀人欺負，而且……媚媚同小鳳亦成功報復。」

「報復？咩意思？」我問。

小紅道：「我哋變成海神嘅好姐妹之後，就稱呼佢做『大人』，大人帶住我哋經水路游去唔同嘅村鎮，搵我哋老公嘅下落，我哋花咗半年先搵到佢哋，而小鳳同媚媚……」

牠愈說下去，聲音卻變得愈小，我不禁大聲問：「佢哋做咗啲乜？」

牠嘆了一口氣，繼續低聲道：「佢哋見到自己嘅老公已經同另一啲女人雙宿雙棲，嬲到殺晒佢哋。」

只見時叔面色蒼白，喉間又發出「格格」的怪聲，問：「咁……咁你老公呢？」

小紅連忙大力揮手，猛地搖頭：「冇！我冇殺佢！我更加求大人、小鳳、媚媚放過佢哋！」

牠頓了一頓，帶著哭音說：「因為我真係唔捨得……」

時叔舒了一口氣道：「咁都好啲……」

我問：「佢哋報完復後，咁呢幾百年喺度做乜？」

小紅道：「佢哋真係好憎男人，不過男人有樣好處，就係面對美人，都控制唔到自己，為我哋大灑金錢，我哋咁多年嚟就係靠搵啲賤男人錢過活！」

「所以你哋就喺屯門公園唱歌，等啲男人畀錢？」我問。

牠點點頭。

「係咁，點解你哋要啲男人寫遺書再推佢哋落人工湖？點解你哋要咁做？」我想起父親，情緒不禁激動起來。

小紅聽罷顯得十分驚訝：「你……你點知？」

我憤怒得整個人發抖：「我爸爸就係畀你哋殺死！」

第二十八章　姐妹

　　小紅後退了幾步：「哦！我知啦！你唔係唔見銀包入公園搵，你係嚟查你爸爸嘅死！」

　　「冇錯，咁你係唔係要殺埋我？」我邊說邊按著那個載滿螞蟻的盒子。

　　「你爸爸嘅死，我好抱歉！但係佢已經冇晒錢冇價值，大人同小鳳、媚媚點會放過佢？」小紅大聲說。

　　「你唔好講到好似唔關你事咁，我同時叔親眼見到你有份殺個男人！」

　　「我只係拎住電筒企喺度睇，我根本冇參與！」牠辯解。

　　牠把責任推得一乾二淨，令我不禁怒火中燒：「你……我要幫我老豆報仇！」

　　我旋即想撲向前，怎料牠也突然讓四肢變回觸手，大叫起來：「我咁難得遇到時哥哥，我唔想再錯失！」

　　牠說罷把觸手揮向我，時叔這時卻竟然勇敢地攔了在我身前，關切地說：「小紅，唔好再錯落去，我唔想見到你錯落去，我會好心痛。」

　　我當下不只為時叔的勇敢而驚訝，也為他的虛偽而詫異。

第二十九章

大人

屯門公園

大人

「時哥哥，你為我心痛？」小紅的觸手即時凝住了在半空，一眶淚眼望向時叔。

時叔點點頭：「你係一個可憐人，任何有血性嘅人聽到都會心痛。」他頓了一頓又道：「小紅，發生過嘅事已經冇法子改變，唔通過咗幾百年，你仍然想繼續半人半妖咁生活落去？」

我震驚地看著時叔，因為他說話時異常激動，甚至竟然流下了男兒淚，我被眼前的狀況嚇得停止了想繼續攻擊小紅的意圖。

「時叔，你為我喊？」小紅驚訝地說。

「時叔，你為佢喊？」我也驚訝地說。

時叔的嘴唇顫抖著：「我係一個入過鬼門關嘅人，我知道永生唔係一件好事，有啲鬼魂因為心有怨恨或者牽掛而唔投胎，其實真係會好痛苦。小紅，你對我嘅感情只因為對老公仍有依戀，但係時間已流逝咗成300年，所有嘢都應該完結，生命之所以有限期，係因為永生只會係痛苦……」

「時叔……」我不知道時叔當年在彩虹站進入鬼門關後經歷過甚麼，但看他如此激動，一定在當中有莫大感觸。

「時哥哥，但係我而家咁樣，我可以點？唔通你想我一死去完結所有事？」小紅似乎忘了剛才跟我的衝突。

時叔搖搖頭：「至少你唔可以再傷害其他人，唔好再喺公園呃男人錢先……」

小紅垂下頭輕聲說：「時哥哥，如果我唔再傷害人，你可唔可以同我……」

時叔不自覺地退後了兩步，然後小紅便抬起頭，兩頰通紅地道：「我哋不如私奔去遠方，雙宿雙棲？」

時叔搖搖頭道：「小紅，唔係咁樣，你聽我講，其實我……我有老婆㗎啦！」

小紅本來羞澀的神態突然變得憤怒，怒叫了一聲：「你有老婆？」說罷她的觸手又開始揮舞著！

我立即拿出袋中那個藏著螞蟻的盒子，再次防備著，但時叔又再擋在我們中間，大聲道：「小紅，如果我拋棄老婆

第二十九章　大 人

同你一齊，我咪就係你哋最憎嘅負心漢？我點對得住我老婆？」

小紅聽到時叔這樣一說，滿臉怒火竟立即消散，換上一張迷惘的臉容。

時叔又說：「你哋喺公園勾引啲男人，好多呢啲男人都有老婆，你哋咁樣其實咪就係做咗你哋最憎嘅狐狸精？」

「我……」小紅聽罷整個人一軟，攤倒了在地上，喃喃自語地道：「我竟然做狐狸精，真係唔死都冇用……真係唔死都冇用……我死咗佢好過……我要死……我要死……」

我和時叔看著一臉頹然的牠，只能默不作聲，雖然我們都知道比起小鳳、媚媚和牠口中的大人，牠算是仍有少許人性，但是牠已經當了300年怪物，我們都不知道牠除了死之外，還可以如何好好地活下去。

「再見啦，時哥哥，」然後牠又望向我：「你爸爸嘅事，好對唔住……」牠說罷猛地衝向旁邊的大樹，似乎是想撞樹自盡。

可是，就在牠要撞上大樹時，一個快速的身影在左方衝

了過來，一把推開了小紅。

「啊！」小紅應聲跌倒在地上，這時我們才看到在她身邊站著一個廿歲左右的少女，她也是身穿一襲白色長袍，容貌脫俗、肌膚勝雪，櫻桃般的紅唇緊閉著，一雙水靈靈的大眼睛直視著我們。

她的美貌比任何一個女明星都更加動人，看得我直發呆，直到小紅翻身撲在她的腳邊叫嚷：「大人！」

我和時叔目瞪口呆地大叫：「大人？」

「小紅，你唔係話隻章魚……呀唔係，係海神先嘅……又話佢係用咗嬸嬸嘅身體？點解會係一個美少女？」時叔問。

那美少女立即彎腰溫柔地扶起小紅，語調卻是嚴肅地道：「小紅，你都同佢哋講咗好多嘢喎！係幾時開始，你同啲男人變得咁無所不談？」

她不說話就算了，一開口說話卻是大嬸的聲音，令我們可以肯定，牠只是表面上是美少女，實際上卻是非常年長！那為何牠的身體會由嬸嬸的軀體變成美少女？

第二十九章　大人

而且有一點奇怪的，就是她的聲音聽起來十分耳熟，我好像在哪兒聽過！我再仔細打量她的容貌，看著看著，也真的有一種說不出的熟悉感！

小紅聽到美少女……不……是章魚的質問後，旋即緊張起來，也忘了剛才是想自盡，結結巴巴地說：「大人，我只係……」

可是，牠話還未說完，章魚就突然發現地上小鳳和媚媚的屍體，然後以低沉的聲線問：「呢兩個男人殺死咗佢哋？」

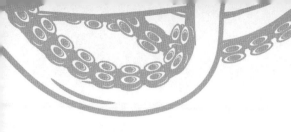

屯門
公園

第三十章

誰？

門
屯
園
公

誰？

小紅情急地說：「唔係呀！唔係佢哋殺！」

「唔係佢哋做，咁即係你啦！」章魚用一張美少女的臉咬牙切齒地道。

「係……係佢哋兩個互相殘殺咋！」時叔靈機一觸道。

章魚皺了皺眉道：「互相殘殺？」

「係啊，大人，佢哋起咗爭執，於是就……」小紅也慌忙地說。

章魚默不作聲，卻重重地呼吸著，然後突然從白袍下伸出異常粗壯的觸手，牠的觸手比小紅牠們三個的都要粗要長，而且泛著一種紫色的怪異光線。

牠的觸手一把捲起了小紅，然後用力地緊纏著她的腰肢。

「呀！」小紅發出了慘烈的叫聲，同時，章魚也怒吼：「本來你對我講真話，我都重可以原諒你，估唔到你竟然夾埋啲臭男人呃我！」

章魚似乎沒有因為小鳳和媚媚的死而傷心，反而是因為小紅說謊而憤怒。

「大人！我⋯⋯」小紅本來痛苦的叫喊慢慢變成了微弱的叫聲。

「獅子山，小⋯⋯小紅佢就嚟死啦！」時叔壓低聲線緊張地說。

我抿了抿下唇，還未來得及回應，時叔又說：「不如我哋⋯⋯我哋放啲螞蟻出嚟，睇下救唔救到小紅？」

「你真係想救小紅？而家隻章魚嬲到冇留意我哋，我⋯⋯我覺得我哋應該趁機會快啲走！」我說。

「走？走去邊？而且小紅心地真係唔差，佢只係畀隻章魚利用⋯⋯」

「時叔，你唔係對小紅動咗真情啩？佢始終係怪物嚟，佢有份殺我老豆，佢死咗對大家都好！」我質疑著他。

「我哋唔可以咁冇良心⋯⋯」

誰 ？

第三十章　誰？

「你睇下隻章魚啲觸手幾粗，我哋唔夠打㗎啦！一定要走！」我堅決地說，卻突然聽到身後傳來一把聲音說：「係啦！快啲走！」

我的腳趾頭冒上了一陣寒意，一直湧上我的頭頂，我僵硬地把臉轉去看時叔，只見他也是鐵青了臉，喉嚨間發出久違了的「格格格格」聲。

這也難怪，我們知道公園裡有三隻在湖邊殺人的妖怪，然後從小紅口中只聽見提及過「大人」這一個人物，亦即是我們眼前的章魚。我們都沒有預料公園中還有其他「人」，可是現在我們都卻清楚地聽見後方傳來的聲音。

小紅的臉色愈來愈差，牠的觸手也只能無力地作出最後掙扎。

「而家再唔走就嚟唔切！」身後又傳來了聲音。

這時我也管不了這麼多，也不敢回頭看是誰在跟我說話，見到旁邊的小路，就拉著時叔向那邊跑。

六神無主的時叔被我拉著，腳上的滾軸溜冰鞋在地上滾動，加上他喉間發出的「格格」聲，漸漸掩蓋了那遠去的小

紅的痛苦叫聲。

我們不知跑了多久，總之是盡能力跑到遠離剛才那涼亭的地方，才敢稍停下來，把身子擠進一堆玫瑰花叢裡躲起來。

時叔已沒有再發出「格格」聲，取而代之是我們二人因逃亡而發出的喘氣聲。

我們就這樣喘了好一會，過了不知多久，我才回過氣來道：「你頭先係唔係⋯⋯都聽到有把聲叫我哋走？」

時叔點點頭道：「即係除咗隻章魚，重有其他怪物！」

「都唔一定係怪物，佢叫我哋快啲走，可能係想幫我哋？」我疑惑地問。

他聳聳肩道：「又可能係有陰謀？」

我揮了揮手示意我也不知道，然後遲疑地說：「咁我哋而家點算好？」

「唉，天未光冇辦法離開呢個公園，遲早會被隻章魚發

第三十章 誰？

現，唔通只可以喺度等死？」他悲傷地說:「我……我好掛住我老婆呀!」

　　突然，我的背部感到一陣寒意，一把聲音幽幽地飄了過來:「我有方法!」

　　「吁!」時叔嚇得大力地吸了一口氣，而這次我終於鼓起勇氣回頭查看。

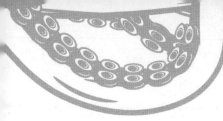

老婆婆

屯門公園

老婆婆

我們是蹲下來躲在半個人那麼高的花叢中，而當我回頭一看，進入眼前的是一襲長袍！

「哇！」我輕聲地驚呼了起來，繼而整個人向後翻，一屁股跌了在泥土上。

時叔雖然沒有叫出來，卻也是隨著跌坐到我旁邊，更弄丟了幾朵玫瑰花。

我們抬頭一看，一張滿佈皺紋的臉正垂下來看著我們。

眼前是一個老婆婆，滿頭白髮，雙眼也被皺紋擠得只餘一條線，即使環境有點昏暗，也還是能看到她那乾枯的臉上長滿了老人斑，再看看她的嘴巴，牙齒更似乎都已脫落，一張嘴巴皺得像隻餃子，單從這張臉看來，這個老婆婆沒有一百也最少有九十歲，可是她為甚麼會在這裡的呢？

「格格格……你……你……你人定鬼？」時叔比我更早發問。

只見老婆婆抿了抿她那皺巴巴的嘴唇，看來有點尷尬地道：「我當然唔係鬼！」

聽見她這樣答，我卻沒有鬆懈下來，而是繼續問：「咁你……你唔係章魚嚟㗎可？」

不知為何，她聽見我的問題，突然眼泛出一點淚光，在昏暗中仍清晰可見，過了半晌她才邊迴避我的目光邊回答：「我唔係章魚，唔係妖怪，我係一個人，我只係一個普通嘅阿婆。」

我和時叔這才稍定下心神，站起來拍拍屁股上的泥土。

這時我才發現，老婆婆的背駝得很，致使她的身高就只有我半個人那麼高，而剛才她並沒有刻意地彎腰看我們，而是她的腰本來就彎得幾乎成了90度角。

她的身上穿著一件破破爛爛的長袖袍子，昏暗中看起來是灰褐色的。

「阿婆，點解你會喺呢個公園，你係唔係同我哋一樣半夜唔小心走咗入嚟？」時叔問，而我猜她可能是那些半夜在街頭拾荒的老人。

她聽見這問題又停頓了很久，才輕聲道：「我無家可歸。」

第三十一章　老婆婆

　　我們見狀，也不想問太多她的私事，反正我只想知道她剛才說「有方法」是甚麼意思，是以我問：「之前幾次喺身後同我哋講嘢嘅都係你？你可以幫到我哋？」

　　「嗯。」她點點頭，不知為何我突然覺得她這個「嗯」的語氣和點頭的動作有點眼熟。

　　她續說：「哼，叫咗你哋幾次唔應我。」

　　「阿婆，我聽到聲擰轉又唔見你，以為係鬼呀！」我說。

　　怎料她別過臉說：「我唔想畀人見到我。」

　　我對她的回答不明所以，但時叔卻著急地說：「到底而家我哋可以點做？」

　　老婆婆聽罷才再看過來說：「以我觀察，啲章魚唔只怕螞蟻，亦都怕爬蟲，所以佢哋一般都唔會走近爬蟲館，只要你哋去爬蟲館附近匿埋，隻大章魚就唔會咁易搵到你哋。」

　　「係咁，我想問下你，呢個公園係唔係到天光就會回復原狀？」時叔想確認自己的猜測有沒有錯。

老婆婆道：「冇錯，我偷聽到佢哋話一到夜晚，佢哋口中嘅『大人』就會進行『修煉』，其間公園周圍會因此充滿紫霧，只要捱到天光，個公園就會變返正常，你哋到時就可以出返去。」

奇怪，這個老婆婆說話的語氣和用字一點都不像老人家。

正當我疑惑之際，時叔又問：「你係唔係有親身經歷過呢個公園天光後嘅情形？」

老婆婆聽罷整個人晃了晃，然後說：「我……我當然有試過，我日夜都喺呢個公園，今朝重被呢個後生仔撞到，你……」她說時指了指我，卻又把手指縮回，顯得欲言又止。

她這樣說起，我終於想起來了，昨天下午我在看娜娜跟老伯跳舞時，突然有一陣想吐的感覺，然後一轉身就不小心地撞到一個老婆婆，原來那就是她，怪不得我總是看著她有點似曾相識的感覺。

「記得，原來係你！我以為你老公去咗睇大媽，所以要入公園捉姦。」我說。

老婆婆

　　她又別過臉：「我老公先唔係呢種人……唉，總之我帶你哋去爬蟲館嗰邊匿埋，等到天光就可以走。」

　　我跟時叔對看了一眼，都打算依老婆婆的指示做，反正我們也沒有其他方法，要是眼前這個老婆婆有甚麼詭計，我們或許都有能力擊敗她吧？

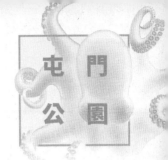

第三十二章

反抗

屯門
公園

第三十二章　反抗

「好，咁……咁我哋行啦。」我說。

我和時叔鑽出花叢，才發現這個區域也許是甚麼玫瑰園之類，因為眼前是一大遍玫瑰花海，我突然想起阿晴，她一向都很喜歡玫瑰。

我稍振作了一下心情，便跟著老婆婆前進，她步伐很慢，令我和時叔不禁緊張地四處張望，生怕那章魚不知從哪裡鑽出來。

「係呢，後生仔，你入嚟公園係搵你女朋友？」老婆婆稍回頭問。

「你……你點知㗎？」我問。

「我偷聽到你同時叔講。」她說。

「嗯，我老豆畀啲妖怪殺咗，阿晴比我更加傷心更加上心，佢同我講會嚟公園睇下，但之後就失蹤咗……我……我真係好想搵返佢。」我頓了一頓，問她：「係喎！你有冇見過一個女仔？佢應該係著住一條黑色連身裙同埋短靴，頭髮長長，身形略瘦，身高去到我耳仔咁上下。」

她搖了搖頭，卻沒有回答。

這也難怪，日間公園這麼多人，又怎會留意到一個普通的女人？

我們漸漸靠近爬蟲館，四處仍是十分安靜，難道那章魚跟小紅仍在糾纏中？不，依剛才的形勢，小紅應該已經死了，那章魚在殺死了小紅之後，難道沒有打算追擊我們？

就在我這樣想之際，我身後突然傳來時叔的驚叫聲。

當我回頭一看，卻不見了本來緊跟在我身後的時叔。

「時叔？」我輕聲呼叫。

「呀！」我隱若聽到不遠處的樹後，傳來時叔的叫聲。

「時叔！」我緊張得大叫起來，並立即跑過去，留下老婆婆在身後叫嚷：「唔好去呀！」

時叔是因為我才會被困在此，我當然不可以見死不救，我很快來到樹後，一如我所料，只見時叔正被那章魚的觸手纏住。

反抗

「時叔!」我大聲叫了出來。

這時那老婆婆也正緩緩地走過來,章魚見到她便說:「哈哈!你以為我怕爬蟲就唔可以捉到你哋?我嘅觸手好長,你哋一日未入爬蟲館,我一日都可以捉到你哋,嘿嘿嘿嘿!」

老婆婆全身抖顫地來到我身旁,拉著我的手輕聲道:「好危險,我哋救唔到時叔㗎啦,不如你快啲走入爬蟲館!」

「唔可以,我唔可以丟低時叔……」我帶著哭音道:「我已經丟低咗我老豆同阿晴,我唔可以再係咁……苟且偷生……」

「嗯。」老婆婆回應我。

我從褲袋裡取出那個盛滿螞蟻的盒子,快步衝往章魚前,正想打開盒子之際,一陣刀光卻映在眼前。

原來時叔奮力掙脫了被纏著的手,從腰包取出他老婆給他傍身的小刀,再狠狠地一刀劃在章魚的觸手上。

「嗚啊!」章魚慘叫起來,觸手應聲鬆開,時叔就跌倒在地上,我慌忙去把他扶起。

「可惡!你哋呢啲臭男人!」章魚痛得亂揮動觸手,把我和時叔狠狠地撞開!

「唔好傷害Teddy啊!」老婆婆大叫。

奇怪,她怎會知道我叫Teddy?不過仔細一想,也許她有偷聽到我跟時叔自我介紹時的對話吧。

章魚仍因為被時叔割傷而痛苦地咆吼,時叔趁機爬了起來大叫:「快啲跑去爬蟲館!」

我回頭看看老婆婆,轉身護在她身後,半推半拖地跟她一同向爬蟲館奔去。

「你唔好理我,你走啦!」老婆婆說。

不知為何,雖然跟她只認識了不久,但我不想扔下她。

「唔好講咁多,你盡力跑!」我說,與此同時,我看到時叔已跑到爬蟲館門前,可是明顯地那扇玻璃門已因為閉館而鎖上。

第三十三章

逃生

屯門
公園

逃生

「撞爛佢啦！」我邊叫邊推著老婆婆，她總算來到時叔身旁。

只見時叔用刀柄不停鑿向玻璃，企圖把玻璃弄碎，可是卻不得要領。

可是，就在這時，我身後一陣陰風，一條觸手就在我的髮尾揮過。

「啊！」我害怕地叫了出來，然後蹲了在地上想避開章魚的攻擊。

老婆婆見狀，笨拙地伸出雙手在我的頭上方，並且大叫：「唔好傷害佢！」

「哼！本來你已經冇利用價值，我係想放你一馬，點知你不識好歹！」章魚沒有走近，牠只是伸出了長長的觸手，牠的聲音仍是在樹下傳來。

「佢……佢講咩利用價值？唔通阿婆你都係章魚嘅手下？」我震驚地問。

當我正在問她時，我看到時叔從腰包取出鑰匙，把鑰匙的尖端大力地擊在玻璃上，玻璃應聲破裂。

「今鋪掂呀！你哋都快啲入嚟啦！」時叔興奮大叫，同時跑進了爬蟲館，但他的手卻被玻璃割傷了。

這時我仍半蹲在地上，章魚的觸手在我身後亂舞，我想站起來跟時叔跑進去，可是那可疑的老婆婆就在我面前。

就在我對她充滿懷疑之際，她突然欠一欠身，雙手用力把我推向爬蟲館，並嚷道：「快啲入去！」

時叔同時伸手拉了我一把，當我看清楚眼前狀況時，我和時叔都已在爬蟲館裡，而老婆婆則被觸手纏著。

「頭先……頭先係阿婆救咗我？」我驚訝地問。

「係，係佢擋住啲觸手兼推你入嚟！」時叔說。

是她救了我，我剛才還在懷疑她？

她在爬蟲館門前掙扎，我見狀立即把那盛滿螞蟻的盒子扔過去，盒子撞到觸手之後，蓋子便撞飛了，裡面大量的螞蟻旋即爬上了觸手。

「啊！」章魚的驚呼聲從樹後傳來，看來螞蟻攻勢正在發

第三十三章　逃生

揮效用!

只見牠的觸手捲起老婆婆在揮動，卻是沒有放開老婆婆的意思。

「點算好?」我唯一可以攻擊牠的那盒螞蟻都已經扔了出去，這時時叔拿著小刀，正躊躇著要去刺章魚的觸手，可是牠實在動得太快了，隨便用小刀刺過去的話，反倒可能會刺中老婆婆。

「係啦!」我突然靈機一觸，連忙問時叔:「快啲!快啲界條鑰匙我!」

他也沒問我拿鑰匙是為了甚麼，就直接遞了給我。

我脫下上衣包著自己的手以作保護，然後握著鑰匙逐一擊破館內困著各種爬蟲的玻璃箱。

「啪啦哐啷……乒乒乓乓……」玻璃碎裂的聲音此起彼落，而我的內心只有一把聲音:「我要救佢!我唔可以再界任何人喺我面前死!」

那些蜥蝪、大陸龜和蛇都空群而出，不知為何，牠們就

像被甚麼吸引著般，都自動向章魚的方向走去。

章魚也好像感到正有大量牠所害怕的爬蟲走近，牠的觸手突然一揮再大力一甩，把老婆婆狠狠摔在地上。

「啊！」「阿婆！」我和時叔大叫。

只見爬蟲們像遇上獵物般迅速走向樹後，然後樹後傳來了章魚的驚呼：「唔好啊！唔好咬我！」

時叔拿著小刀跟了去樹後，而我則立即撲到老婆婆身邊，只見她奄奄一息地躺在地上，頭部後方因撞擊而滲著血。

「阿婆，你冇事呀嘛？你唔好瞓呀！」我大叫。

她微微睜開雙眼道：「多謝你救我。」

「係你救咗我就真。」我道。

「我……我可唔可以摸下你塊面？」她突然提出了要求。

我點點頭，便拱前讓她撫摸我的臉，但就在這一剎那，我看到一件物件，令我的心臟幾乎停頓下來。

第
三
十
四
章

結

局

屯門
公園

第三十四章　結局

令我震驚不已的，就是我送給阿晴的手鏈！那手鏈現在竟然戴在老婆婆手上。

我驚訝得捉著她的手問：「點解？點解阿晴條手鏈會喺你手上？」

「啊啊啊啊啊……」與此同時，遠處章魚的聲音愈來愈悽厲痛苦，時叔的聲音也傳了過來：「死啦你！死妖怪！殺殺殺！」

老婆婆的眼角流下了眼淚，她抿著嘴唇沒有回答我。

不知為何，我的眼淚也滑到了下巴，滴在老婆婆臉上。我好像明白了一些事，阿晴失蹤後，她的手鏈在老婆婆手上，就只有兩個可能性。其中一個是老婆婆就是令阿晴失蹤的原兇，但她卻一直在公園守護我，最後甚至捨身救我，她絕對不是會害阿晴的人，加上我對她總是莫名奇妙地有一種熟悉感，所以我較傾向相信另一個可能性。

「你……」我猶了一下又繼續問：「你係唔係……阿晴？」

老婆婆的淚水像泉水般湧出來，然後嗚咽著：「Ted-

ｄｙ……」

「真係你？阿晴，點解你會變成咁？」

「我……我……」她有點喘不過氣來，很辛苦才能繼續說下去：「我去公園……問人有冇見過世伯死之前接……接觸咩人，點知有幾個唱歌嘅女人……捉住我，捉……捉咗入廁所，其……其中一個老女人佢捉實我望實我，我同佢對望時，喺佢對眼入面見到……見到我自己，見到我一直老去，三十歲、四十歲、五十歲……皮膚愈來愈皺，背愈來愈駝，跟住佢嘴對嘴錫咗我一啖，重話我啲衫好靚，除晒我啲衫……之後，佢竟然話我四十八小時之內就會老死，而佢得到我嘅青春後，亦會慢慢變返後生……」

我撫著她的臉，著急地道：「唔好講啦，我……我一定會救你！」

她搖搖頭道：「冇用啦，我個頭後面……好痛。」

她的頭部剛才因重擊到地上，撞破了頭以致血流如注，我不禁用手按住她流血的地方大叫：「冇事㗎！好快冇事！」

結局

第三十四章　結局

　　她的軀體愈來愈冷，我搓著她的手、她的臉喊叫，可是她只能氣若游絲地道：「你啊……唔好再淨係……掛住搵錢，要多關心身邊……嘅人，要多多……愛自己……」說罷她的一雙眼睛就慢慢合上，任我如何叫喚都沒有反應。

　　我伏在她身上泣不成聲，這時卻聽到時叔歡呼的聲音，哈哈大笑地跑過來！

　　「哈哈，獅子山，隻章魚界啲爬蟲咬到傷晒，我再狠狠咁補咗幾刀插死咗佢！真係好……」他邊跑過來邊叫，卻因見到我正在傷心地哭而停止了說話。

　　「阿婆佢……」他呆立在我們面前。

　　「嗚啊……原來佢係阿晴！原來佢係阿晴！佢被隻章魚搞到變咗阿婆！」我沒有抬頭看時叔，而是繼續伏在阿晴身上，哭得整個人在抽搐。

　　「唔係啊……佢個樣……」時叔結結巴巴地說。

　　我聽見時叔這樣說，不禁疑惑地抬起頭，看看阿晴的臉，她的臉竟然已不再蒼老，而是變回阿晴本來那個美麗、年輕的外貌。

「阿晴，」我哭著說：「你變返靚啦，你擘大眼睇下！」可是，她的血還是不停在流，她的身體仍然冰冷，她的雙眼仍然緊閉。

時叔輕拍了拍我的肩膀，然後轉身離開，讓我跟阿晴可以獨處，可是沒過了十秒，他的叫聲卻從樹後傳了過來：「哇！」

我擔心他出事，慌忙輕輕把阿晴放在地上，跑到去樹後，見到時叔呆望著地上，只見地上有蛇、陸龜和蜥蜴等在噬咬著一堆已經了無生命力、滿是刀傷的觸手，觸手的上身則是……咦？上身的竟然不是剛才被小紅尊稱作「大人」的美少女，而是一個賤肉橫生的大嬸，而且是我見過的大嬸，就是日間時跟阿伯在跳著辣身舞的娜娜！不，應該說她是變老變醜了的娜娜！原來娜娜就是「大人」！

「明明我頭先用刀拮佢嗰時，佢都唔係咁嘅樣，點解……？」時叔疑惑地嚷著。

我垂下頭道：「係因為佢死咗，佢本來盜取自阿晴嘅青春都去返阿晴度……所以佢就變返本來咁。」

這時，本來昏暗的公園突然被晨曦的陽光照耀，時叔道：

第三十四章　結 局

「天光啦，我哋應該可以返出去。」

「我唔可以留低阿晴喺度。」我抱著阿晴，壓低聲音道。

「你留喺佢身邊，只會被人以為你殺死咗佢！」時叔拍拍我：「放心啦！我有辦法令你哋可以見面。」

我驚訝地看著他，他堅定地說：「我可以經彩虹站嘅鬼門關出嚟，亦有辦法帶你入去見你女朋友，到時，你哋就可以好好道別，做個來生嘅約定。」

「時叔……」

「而且，你都可以再見你爸爸一面。」

「嗯。」

我不捨地放下阿晴，在她的嘴唇上輕吻了過後，便被時叔拉著來到了昨夜進來的閘門。

這時候，外面已完全沒有了紫霧，是一條正常不過的街道，亦清楚看到時叔的的士停泊了在外面。

我們翻過鐵閘出去，乘時叔的的士離開。

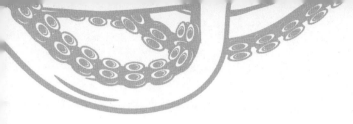

屯門公園

「老豆、阿晴,我一定會去彩虹站搵你哋。」看著遠去的公園,我心中默念。

警方在下午時份致電告訴我他們發現了阿晴的屍體,可是他們並沒有提起章魚的屍體,也沒有談及爬蟲館被破壞的事。我相信他們都被這些不可思議的現象嚇怕,把事件封印起來,不打算調查下去。

等阿晴的喪禮過後,我便會跟時叔進鬼門關一趟,那將會是另一個故事了。

屯門公園

作者： 張篤（棟你個篤）
責任編輯： 小席
美術設計： Raiden Leung
封底及內頁圖片：Freepik.com
出版經理： 望日

出版： 星夜出版有限公司
網址：www.starrynight.com.hk
電郵：info@starrynight.com.hk

香港發行： 春華發行代理有限公司
地址：九龍觀塘海濱道 171 號申新證券大廈 8 樓
電話：2775 0388
傳真：2690 3898
電郵：admin@springsino.com.hk

台灣發行： 永盈出版行銷有限公司
地址：231 新北市新店區中正路 499 號 4 樓
電話：(02)2218-0701
傳真：(02)2218-0704

印刷： 嘉昱有限公司

圖書分類： 奇幻小說 / 流行讀物
出版日期： 2020 年 7 月初版
ISBN： 978-988-79774-3-8
定價： 港幣 98 元 / 新台幣 430 元

本故事純屬虛構，與現實的人物、地點、團體等無關。